子育てハッピーアドバイス

スクールカウンセラー・医者
明橋大二 著

イラスト✽太田知子

1万年堂出版

はじめに

先日、小学一年の男の子のことで、相談に来られたお母さんがおっしゃいました。

「子どもが、なかなか思うように育ってくれなくて困ってるんです。どうしたらうまく育つんでしょうか」

そこで私は聞いてみました。

「では、お母さんは、どういう子どもに育ってほしいと思いますか？」

お母さんは、ちょっと考え込みました。

「そうですね。私は本当は、ただ健康であってくれればいいと思っ

てるんです」

「そうですか。じゃあ、健康でさえあればいいですか?」

「そうですね。もちろん、性格も素直で明るい子どもがいいですけど」

「じゃあ、健康で、性格が素直で明るい子なら、それでいいですか」

「そうね。やっぱり、勉強もできないよりできたほうがいいし、時にはお手伝いもしてほしいし、いじめとかに負けない強い子、あと、自分の意思をちゃんと持っている子。思いやりのある子。外でよく遊ぶ子……」

ついつい笑顔になってしまった私を見て、お母さんは言いました。

「ちょっと欲張りすぎですかね」

「というか、ありえないですよね……」
つられて、お母さんも笑いだしました。

自分の意思をちゃんと持っている子は、たいてい素直ではありませんし、外でよく遊んで、なおかつ、お手伝いもして、宿題もする、なんて、ふつう子どもには無理です。

現実にはありえない理想の子どもに、わが子がならないと悩(なや)むより、今ある子どもの良さを認めることから始めてみてはどうでしょう。

キレる子どもは、たいてい、本当は、人一倍気を遣(つか)う、優しいところを持っています。

言うことを聞かない子どもは、自分の意思をすでにちゃんと持っています。

何事も動作が遅い子どもは、物事にじっくり取り組むタイプかもしれません。

やんちゃな子どもは、今の子どもが忘れた（かもしれない？）元気をいっぱい持っています。

おとなしい子は、人の気づかないことにも気がつく、敏感なところを持っています。

足りないところばかり目について、あれもダメ、これもダメ、と、ついつい言ってしまいます。

でもそうするとそのうち、子どもは、自分の存在自体がダメなんだ、と思ってしまうかもしれません。

ところが、違う目線で子どもを見てみると、あんなに問題児だと見えた子も、なぜかいとおしく、輝いて見えてくるから不思議です。

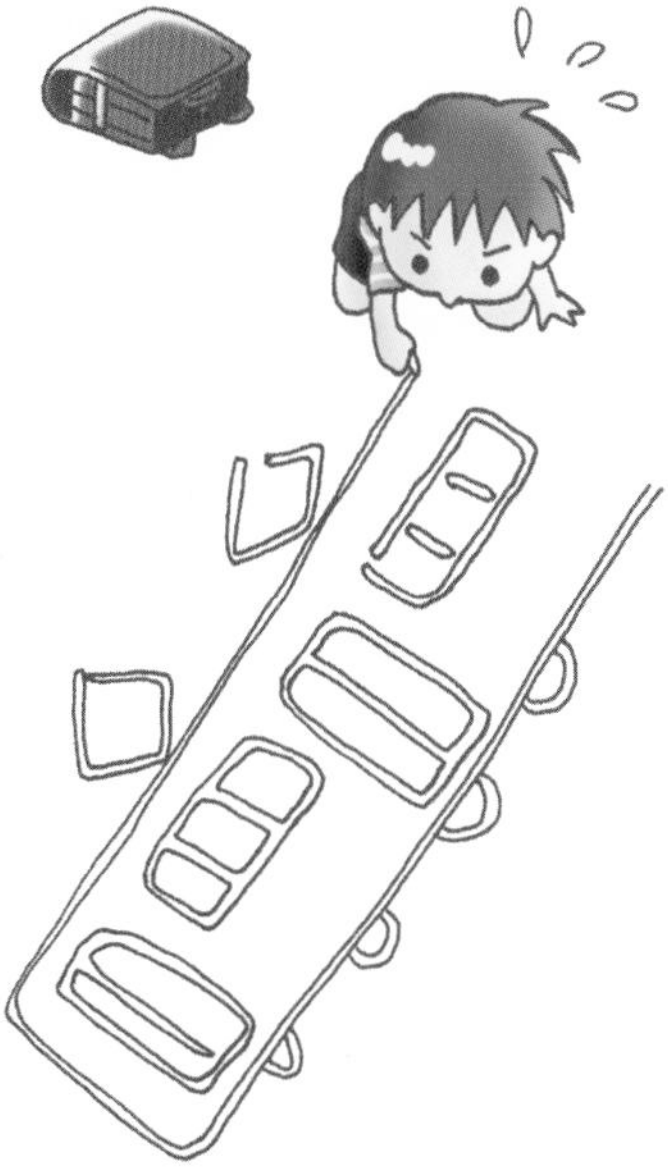

この本は、これから子育てしようとするお父さん、お母さんに向けて、いろんなヒントを、イラストやマンガの形でわかりやすく描いたものです。

内容は、私が、これまでに書いた子育てシリーズの四冊の中で特に大切なこと、反響が大きかったことを選び、さらに、その後の診療や相談で感じたことを追加しています。

イラスト・マンガを描いてくれたのは、一児の母親でもある、太田知子さんです。太田さんの感覚は素晴らしく、楽しくわかりやすい絵と相まって、とても素敵な本に仕上がりました。

この本が、未来を担う子どもたちの、輝ける子に育つ一助になれば幸いです。

明橋　大二

子育てハッピーアドバイス☆もくじ

もくじ

◆怒りは、怒りで抑えつけるよりも、抱っこのほうがはるかに早く泣きやむ
◆抱っこしないことが続くと、赤ちゃんは、あるときから泣かなくなる。手がかからないよい子ではないのです。心のトラブルの始まりです
◆どうしても子どもを愛せない場合もあります。自分を責める必要はありません

3
話を聞く
輝ける子に育てるために、大人ができること 2
34

◆話を聞くときに大切なこと
①子どもの話している時間より、自分の話している時間のほうが、長くなってはいけません
②大きくうなずいて、「そうか、そうか」と言って聞く
③相手の言葉を繰り返す

もくじ

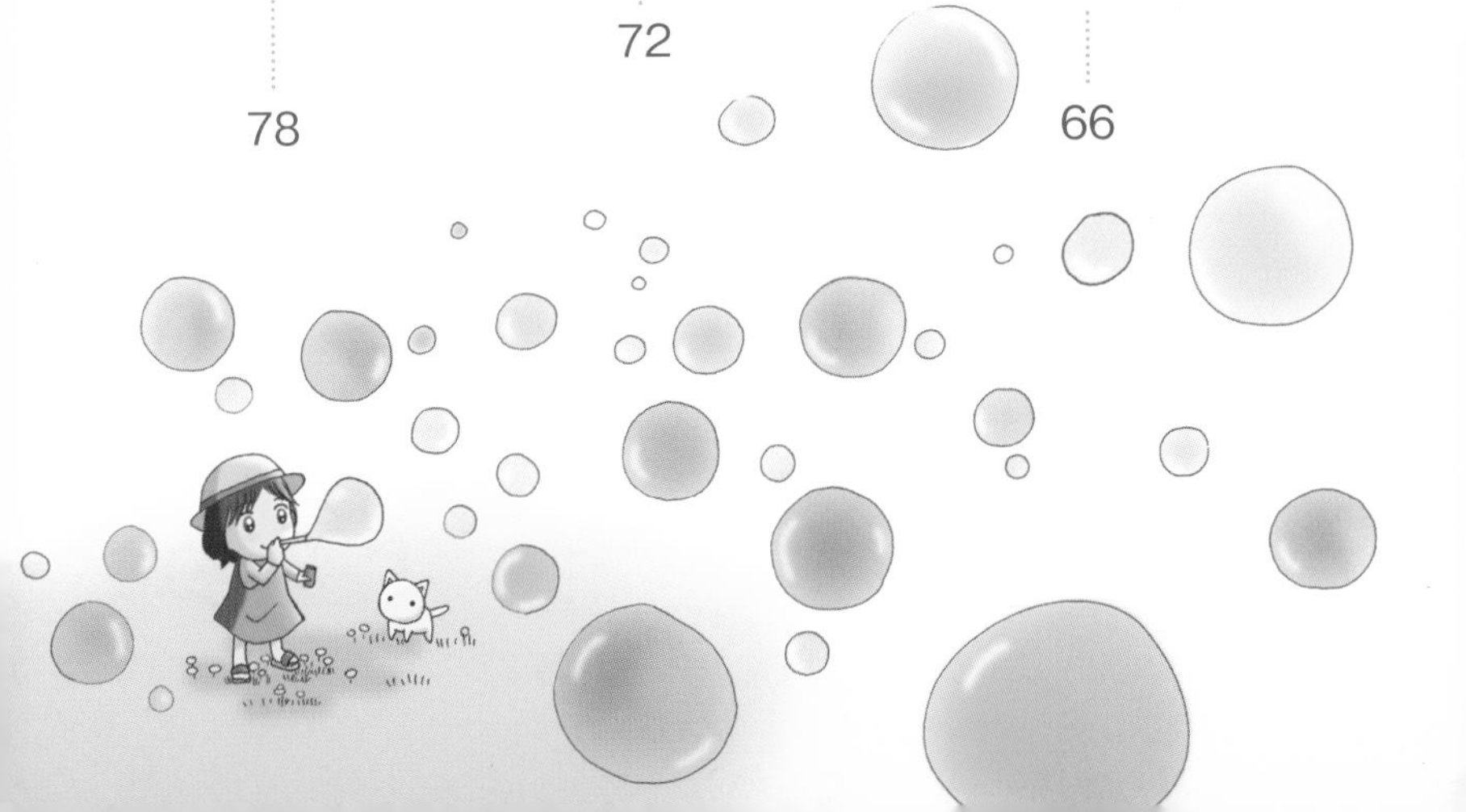

10

10歳以下の子どもが、あまり甘えてこないときは、接する時間を増やしたり、スキンシップを増やしたりしたほうがいい……84

◆愛情と甘えはパイプ詰まりを打開する力

◆子どもによって、同じきょうだいでも、甘えるのが上手な子と、甘えるのが下手な子がいます

11

叱っていい子と、いけない子がいる……90

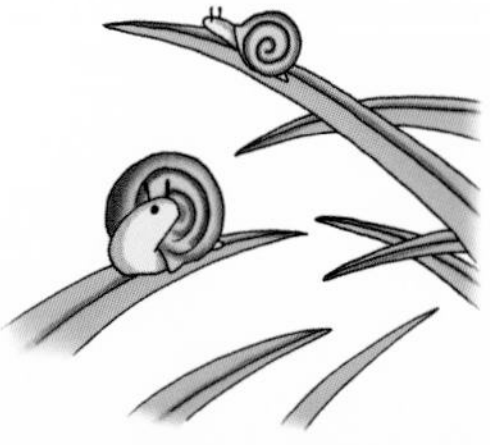

もくじ

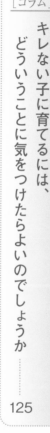

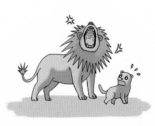

もくじ

もくじ

1

子どもに心配な症状(しょうじょう)が出るのは、しつけがなされていないからでも、わがままに育てたからでもない

今の子どもは、昔に比べて悪くなる一方では決してないし、
子育ての状況も必ずしも悪くなる一方とは思いません。
そうは言っても子どもの中には、心配な症状を出したり、
気になる行動をとったりする子も確かにいます。

それでは何が問題になって、
このようなことが起きるのでしょうか。
よくいわれるのは、
「ちゃんとしつけがなされていない」
「わがままに育てたから」と、
今の子どもを否定的に見るような言葉です。
しかし、これは決して本当の問題ではありません。
問題の本質は、もっと別のところにあると考えています。

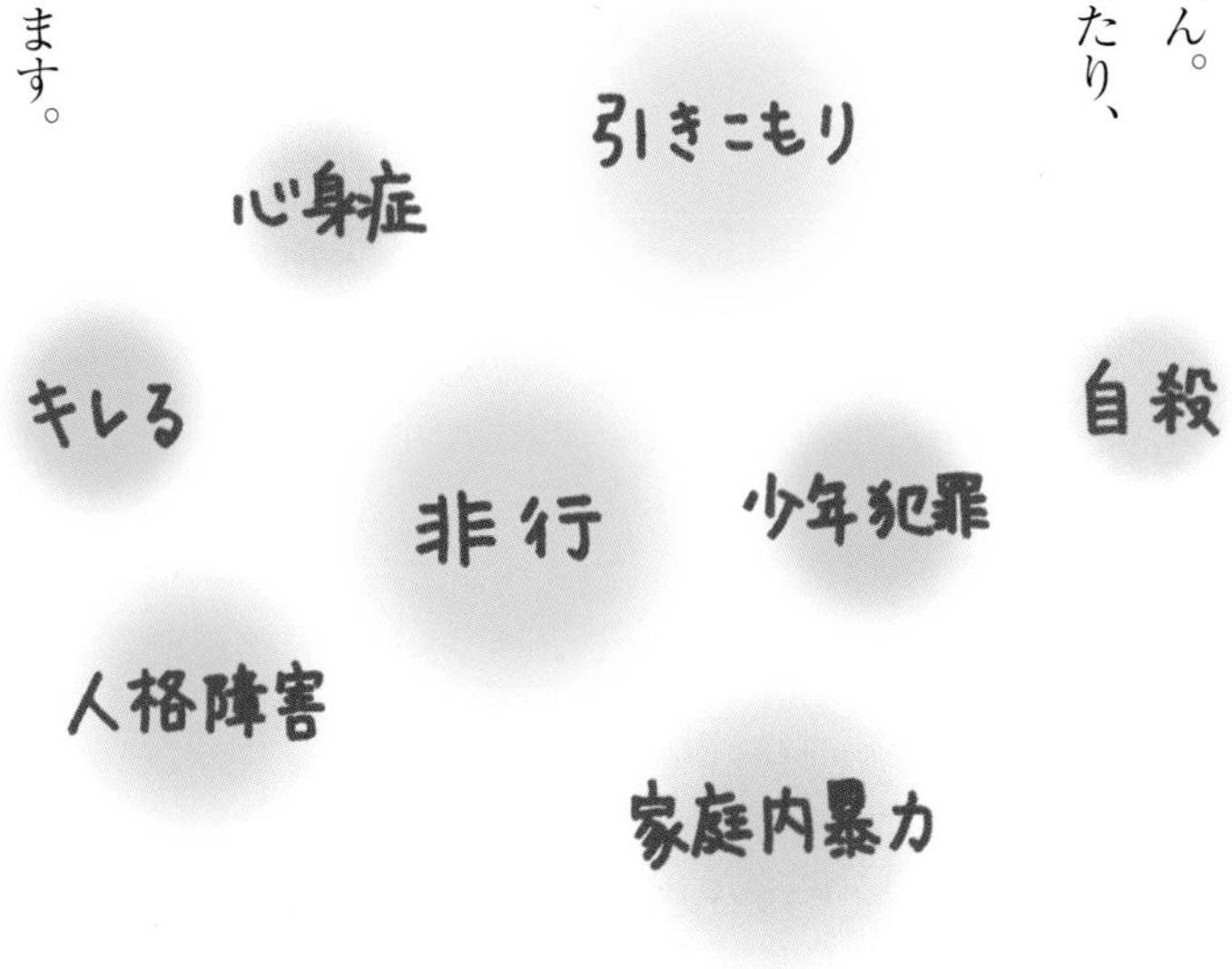

それは一言でいうと、
「子どもの自己評価の、極端な低さ」です。

「自己評価」とは、
「自己肯定感」
「自尊感情」ともいいます。
ひらたくいうと「自信」ですが、
単に自信が持てないということではありません。
算数ができる、
スポーツができる、
そういう自信ではありません。

「自己評価」とは、
自分は生きている意味がある、
存在価値がある、
大切な存在だ、
必要とされている、
という感覚のことです。
これが生きていくうえで、
いちばん大切です。

この安心感を持てなくなると、子どもは、
心配な症状を出したり、
気になる行動をとったりするようになります。

「大好きって言われるとすごくうれしい。
自分が生きてていいんだ、と思えるから」
と言った子がありました。
裏を返せば、
「自分みたいな人間が
本当に生きていていいのか、
いつも不安に思いながら生きている」
ということだと思います。
最近、こんなことを言う子が、
増えていると思います。

しつけも勉強も大事ですが、
自分を肯定できる、
生きていていいんだ、
大切な人間なんだ、
存在価値のある人間なんだ、
という気持ちを、子どもの心に
育てていくことが、
いちばん大事なのです。

2

輝(かがや)ける子に育てるために、
大人ができること　1

赤ちゃんならば、スキンシップ

赤ちゃんの時期には、スキンシップが大切です。

抱いて、目を合わせて、笑顔で、いろいろと話しかけましょう。

これだけで、赤ちゃんは、「自分が大切にされている」「自分のことをお母さんが喜んでくれている」と感じることができます。

わあ、
上手にあんよ
できたねー
すごいねー
よち
よち
お母さんが
ぼくを見て
笑ってる。
うれしい!!

「赤ちゃんに抱きぐせをつけてはいけない」と、言う人がありますが、これは間違っています

抱っこというのは、子どもにとって、
すごく気持ちのいいことです。

抱っこされると、子どもは
「自分は大切にされている」と感じます。
それによって、自己評価が上がります。

だから、抱っこは、大いにやったほうがいいのです。
抱きすぎて具合が悪いということは、決してありません。

あったかーい
気持ちいーーい
ぼくって
大切にされて
いるんだ

赤ちゃんの甘えは泣くこと

赤ちゃんの甘えは、泣く、という形で表れます。

「泣く」のは、生理的な欲求が満たされないときだけでなく、不安な気持ち、さびしい気持ちを表現するサインです。


そのときは、抱っこしてやります。

抱っこというのは、赤ちゃんにものすごく安心感を与える行為なのです。

頭をなでてやる、とか、キスするとか、ほほえみかける、なども、子どもに安心感を与える、とてもいいことです。

子どもを放置すると、子どもに、強い怒りが生まれます

何かの事情で、抱っこができないとき、赤ちゃんの泣き声は、さらに激しくなります。このときの子どもの気持ちは、怒りです。

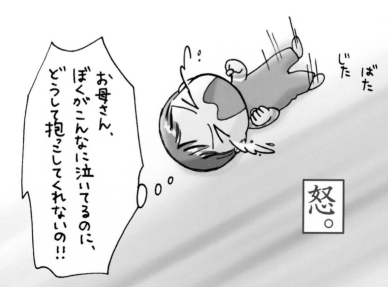

ふギャーっ

じたばた
怒。
お母さん、ぼくがこんなに泣いてるのに、どうして抱っこしてくれないの!!

子どもを放置すると、子どもの側に、
強い怒りが生まれます。
放置することが、いかに子どもに強い怒りを生むか、
ということはあまり知られていません。

愛の反対は、憎しみではなく、無関心だといわれます。
憎しみは、まだ裏に愛があります。
しかし、無関心に、愛はありません。
児童虐待の現場では、放置（ネグレクト）された
子どもの怒りは、暴力を受けた子どもに
勝るとも劣らないことが知られています。

そうやってずっと蓄積された怒りが、
後に、非行や暴力となって表れることもあります。

怒り（いか）は、怒り（いか）で抑え（おさ）つけるよりも、抱っこ（だ）のほうがはるかに早く泣きやむ

赤ちゃんがこのように怒り（いか）を向けている間は、まだこちらにメッセージを発している段階なので、それに気づいて、抱っこ（だ）すれば、治まります。

たとえ怒っ（いか）ていても、それを、怒り（いか）で抑え（おさ）つけるよりも、抱っこ（だ）のほうが、はるかに早く泣きやみます。

抱っこしないことが続くと、赤ちゃんは、あるときから泣かなくなる。手がかからないよい子ではないのです。心のトラブルの始まりです

ところが、赤ちゃんが、怒って激しく泣いていても、抱っこしないことが続くと、赤ちゃんは、あるときから泣かなくなります。そして、無表情になります。

これは、甘えたい気持ちを、自分の心の中から締め出してしまった状態です。そして、悲しみや怒りを、深く無意識の中に潜行させることになります。いわゆるサイレント・ベビーです。

これは、とても心配な状態で、表面上は、喜怒哀楽が少なく、手がかからないので、よい子に見えますが、心のダメージは相当大きくなっています。

このままで大きくなると、いずれ、さまざまな心のトラブルとして、表面化してきます。

いずれにせよ、スキンシップとか、抱っこ、というのが、赤ちゃんの時期には、最も大切です。

甘えたい気持ちも……
悲しみも怒りも
みんなしまっちゃおう……
そのほうが楽だしね……

どうしても子どもを愛せない場合もあります。自分を責める必要はありません

ところが、心理的な抵抗があって、どうしてもできない、という場合もあります。しかしそれは決して「母性が欠如している」などということではありません。

たいていは、周囲のサポートがじゅうぶん得られなかったり、親御さん自身の、育った環境に困難があったりして、精神的に相当参っていたりするためなので、実家や地域（保健師さん、子育てサポーターなど）や保育園の支援を受けて、態勢を立て直す必要があります。


決して、子どもに愛情を注げないなんて、親失格ではないか、などと自分を責める必要はありません。

適切なサポートを得て親御さんが安定すれば、必ず子どもへの気持ちも育ってきます。

3

話を聞く

輝ける子に育てるために、大人ができること　2

話せるようになったら、今度は話を聞きましょう。

子どもの話を真剣(しんけん)に聞くだけで、あなたは大切な存在だよ、と伝えることになります。

しゅん…
ただいま
何か あったの？
今日 学校でね！ ひどいんだよっ
ええ!?
まあ そうなの
たいへんだったね
あれ？ すっきりしてる
満足！
子どもの気持ちを受け止めるだけで、すごく自分が大切にしてもらえたという気持ちになります

話を聞くときに大切なこと①

子どもの話している時間より、自分の話している時間のほうが、長くなってはいけません

でもな、お父さんの時代には、しょっちゅう先輩に殴られたり、そりゃあひどいしごきがあったんだぞ
へえ、そうなんだ
それだけじゃない。顧問の先生も鬼といわれてな、バットで殴られたこともあったんだ
うわぁたいへんだったんだね
だけどそんなつらいところを練習してきたから全国大会にも出場したんだ
……
お父さんな、あのときの苦労があったから、今も会社でいろいろつらいことがあってもがんばっていけるんだ
こないだも会社でな……それでもお父さんな……
まあ座れよ
だからおまえもがんばればきっといいことがあるぞ！
がしっ
さ、メシ、メシ
あー、すっきりした
これではどちらが話を聞いてあげているのかわかりませんね

大きくうなずいて、「そうか、そうか」と言って聞く

自分から積極的にアクションを起こすことで、子どもの話を引き出すことができます。いちばん簡単で有効なのは、「そうか、そうか」と、相手の話を聞くときにうなずくことです。

うなずいてもらうと、自分の

●うなずくと

話を聞いてもらっている気がして、話しやすくなります。

私もいろんな所で話をしますが、時々、「うん、うん」と、うなずいてくださる方があると、うれしくなって話しやすくなります。

ところが、だれもうなずかない、微動だにしない所だと、壁に向かって話しているようで非常に話しづらいのです。

それは子どもでも同じです。

「そうか、そうか」とうなずいてやることが大事なのです。

●ノーリアクションだと

今日友達から
こんなこと
言われて……
……
……
そしたら
先生が……
あの……
……
何でもない
話し
づらいな

話を聞くときに大切なこと③

相手の言葉を繰り返す

こういうことがあって
悔しかったんだ
そうかー。
悔しかったんだね
そう！
こういうことで
腹立ったんだ！
なるほどー、
そりゃ腹立つよねー
でしょ！

「同じ言葉なので意味ないじゃないか」と思われるかもしれませんが、同じ言葉でも相手から返ってくると、非常によくわかってもらえたという感じがするのです。

これは子どもだけでなく、大人でもそうです。

お父さんはわかってくれた!

私は、いろんな人の話を聞く仕事をしています。ある日、嫁姑のストレスで胃が痛い、というお嫁さんが診察に来られました
先生、聞いてください!!

うちの姑はこんなに細かいことまで、いちいち言ってくるんです
あんなことや
こんなことも！
もーイライラしてきます
そうですか……
その話をうちのだんなに「ちょっと聞いてよ！お義母さんがこんなこと言うの。あなたからもちょっと言ってよ」って言うんですけど
ちっともまともに聞こうとしない！
がーっ
そうですか……
すぐテレビ見て……
…………
それでよけいイライラ……
あとこんなことも……
がー
がー
がー
そうですか
そうですか

……そうですか。じゃあ奥さん
ゼー
ゼー
ゼー
お姑さんから細かいことまでいちいちチェックされて、すごくイライラしておられるんですね
しかもそれをだんなさんに言っても聞いてもらえなくてよけいイライラしておられるんですね
!
先生そうなんです!
どうしてわかるんですか!!
コクコク
さっきあなた言ったじゃないですか
すごい!
キラ
キラ
自分が言ったことでも相手から返ってくると非常によくわかってもらえたという感じになるのです

ところが私たちは、ついつい、同じ言葉を繰り返すのでなく、答えを言ってしまいます。

こういうことがあって
悔しかったんだ
それはおまえが
がんばらないから
いけないいんじゃないか
だって…
こういうことで
腹立ったんだ！
じゃあ今度から
こうすればいいじゃないか
でも…

答えは、だいたい子どももわかっているのです。
じゃあ、わかっているのになぜ言うのかというと、
そういう悔しい気持ち、腹立った気持ちを
わかってほしくて言っているのです。

もや
もや

だからこちらは「わかったよ」ということだけを伝えればいいのです。

それが、同じ言葉を繰り返す、ということです。相手の言葉を繰り返す、そうかそうかとうなずいてやる、それだけでいろんな話をしてくるようになります。

子どもが全然話をしてこない、学校のこと聞いても言わない、ということがありますが、たいてい、そういう場合は、何か子どもが一つ言ったら十くらい返しているのです。「どうしてそんなことしたの！」と、だいたい否定されるようなことが返ってくる。そうなると、言えば言うだけ叱られることになり、言わなくなります。

「ふん、ふん」と聞いていると、だんだん子どもはしゃべるようになります。

学校から帰ってきたら、顔じゅう口にしてしゃべるようになります。

輝(かがや)ける子に育てるために、
大人ができること　3

「がんばれ」より、「がんばってるね」と認めるほうがいい

私たちは、よく子どもに「がんばれ」と言います。
先生が連絡帳に、最後に赤ペンで書くのも、
たいてい「がんばりましょう」とか
「今度からもっとがんばりましょう」ですね。

確かに「がんばれ」と言われて、
がんばろうと思えるときもありますが、
よけいつらくなるときもありますので、
気をつけねばなりません。

それは、これ以上がんばれないくらい
がんばってるのに、さらに「がんばれ」と
言われたときです。
「これ以上、じゃあどうすればいいの」
という気持ちになってしまいます。

お母さんにしても、朝から晩まで、家事、育児に追われて、そのうえ、仕事もして、くたくたになっているときに、夫から、「もっとがんばれよ」と言われたらどうでしょうか。

お父さんも、会社で、同じようなことがありませんか。

こういうときに、社長から、「君、いつもがんばってくれてるな」と言われると、ちょっと元気が出てきませんか。夫からでも「いつもがんばってくれてありがとう」とか、言われるとちょっとは胸のつかえが下ります。

それは子どもも同じです。

「いやあ。うちの子どもは、ちっともがんばってませんわ。
毎日ゴロゴロ、ゴロゴロ、ゲームばっかりして、
宿題もしないで、どっこもがんばってません」
と言われるかもしれませんが、子どもなりに、
いろいろ苦労しているところがあるのです。

学校に行ったら、
いじめにあわないかと思って人に気を遣っていますし、
家に帰ったら、ガミガミ言われるのを一生懸命、忍耐している。

子どもなりにがんばっているところがあるのです。

そういう子どもに、「がんばれ、がんばれ」だけじゃなく、
「おまえもけっこうがんばってるな、ご苦労さん」
と言ったほうが、かえって元気が出てきます。

「がんばれ」という言葉は相手を選ぶ。
言っていい人と、言ってはいけない人がある。

だけど「がんばってるね」「よくがんばったね」
という言葉を言ってはいけない人は、
ほとんどありません。

「がんばれ」よりも「がんばってるね」、
相手のがんばりを認めてねぎらう言葉を
よく使うようにしてはどうでしょうか。

●がんばりなさい！

わー
寝坊したー
もう！
ダメね
15分も遅れているじゃないの!!
もっとがんばって起きなさいよ！
ぼくって本当にダメなんだ！
ばた、ばた
ガミ
ガミ
ただいまー。今日テスト返されたー
びくっ
なに！50点!?
50
ちゃんと勉強してるの!!
もー！がんばりなさいよ
しょぼん…
どーせぼくはダメなんだから……

●がんばってるね

わー寝坊したー!!
ちょーだい早く!
でも昨日よりは5分早いわよ。がんばったじゃないの
よーしもう寝坊しないようにがんばろー!
ばたばた
車に気をつけるのよー
ただいまー。今日テスト返されたー
あら50点
この前は、30点だったから、20点もアップしたんだね
50
ちゃんと勉強してるんだ。がんばってるね
よーし!ぼく次は100点とるからねー

5

輝ける子に育てるために、
大人ができること　4

「ありがとう」という言葉を、どんどん使おう

「ありがとう」という言葉は、
人間関係の基本です。
特に、自己評価が低く、心配な症状を出したり、
気になる行動をしたりしがちな子どもは、
「自分なんか、何の役にも立たない」
「何も取りえがない」
と思っています。

そういう子どもは、「ありがとう」
「助かったよ」「うれしいよ」と言われると、
すごくうれしそうな顔をします。

「自分の存在は、親の役に立つんだ」
「親を喜ばせることができるんだ」
と自己評価が高くなっていきます。

●叱ってばかりでは……

ごちそうさま
ちょっとー
自分の食べた
食器くらい
運んでよ
少しは
手伝おうって
気に
ならないの?
いつも
いつも
出しっぱ
なしで
……
あっ
ぷいっ
次の日
待ちなさい!!
食器を
運んでって
いつも言って
るでしょ!!
どーして
これくらいのこと
できないの!!
しょーがない
子ね!
あっ

●「ありがとう」と言うと……

ごちそうさま
たたた
いつも何もしないのに……
ある日、たまたま
かちゃ
かちゃ
あら、手伝ってくれるの？ありがとう
ぼくでも、お母さんの役に立てるんだ……
えへっ 次もやろう……
子どもの自己評価が高まっていきます

非行に走ったような子でも、何かいいところを見つけて
「ありがとうね」と言うと、すごくうれしい顔をします。

なぜかというと、

「自分なんて、いてもいなくても、どうでもいいんだ」

「自分は、いるだけじゃまな存在なんだ」

「どうせおれなんか」

という気持ちになっていた自分に対して、

「ありがとう」と言ってもらうと、

「何か自分もちょっとは人の役に立てるんだ」

「自分も生きてていいんだ」

と思えるからなのです。

大人は、子どもには、
「ありがとうは？　ありがとうは？」
と、よく求めます。
しかし、大人から子どもに
「ありがとう」と言うことは、
案外、少ないのではないでしょうか。

ちょっとしたことでも認めて、
子どもに「ありがとう」という言葉を、
もっともっとかけていくことが大切です。

すべての子どもが、
生き生きと輝く未来に向かって育っていけるように……。

6

子どもの心は、甘えと反抗を繰り返して大きくなる

子どもの心は、
どういうふうに育っていくのでしょう。

子どもの心は、甘え（あま）と反抗（はんこう）を繰り（く）返（かえ）して、
大きくなっていくといわれています。

「甘え（あま）」とは「依存（いぞん）」のこと、
「反抗（はんこう）」とは「自立」のこと。

この二つを行ったり来たりしながら、
子どもの心は大きくなっていきます。

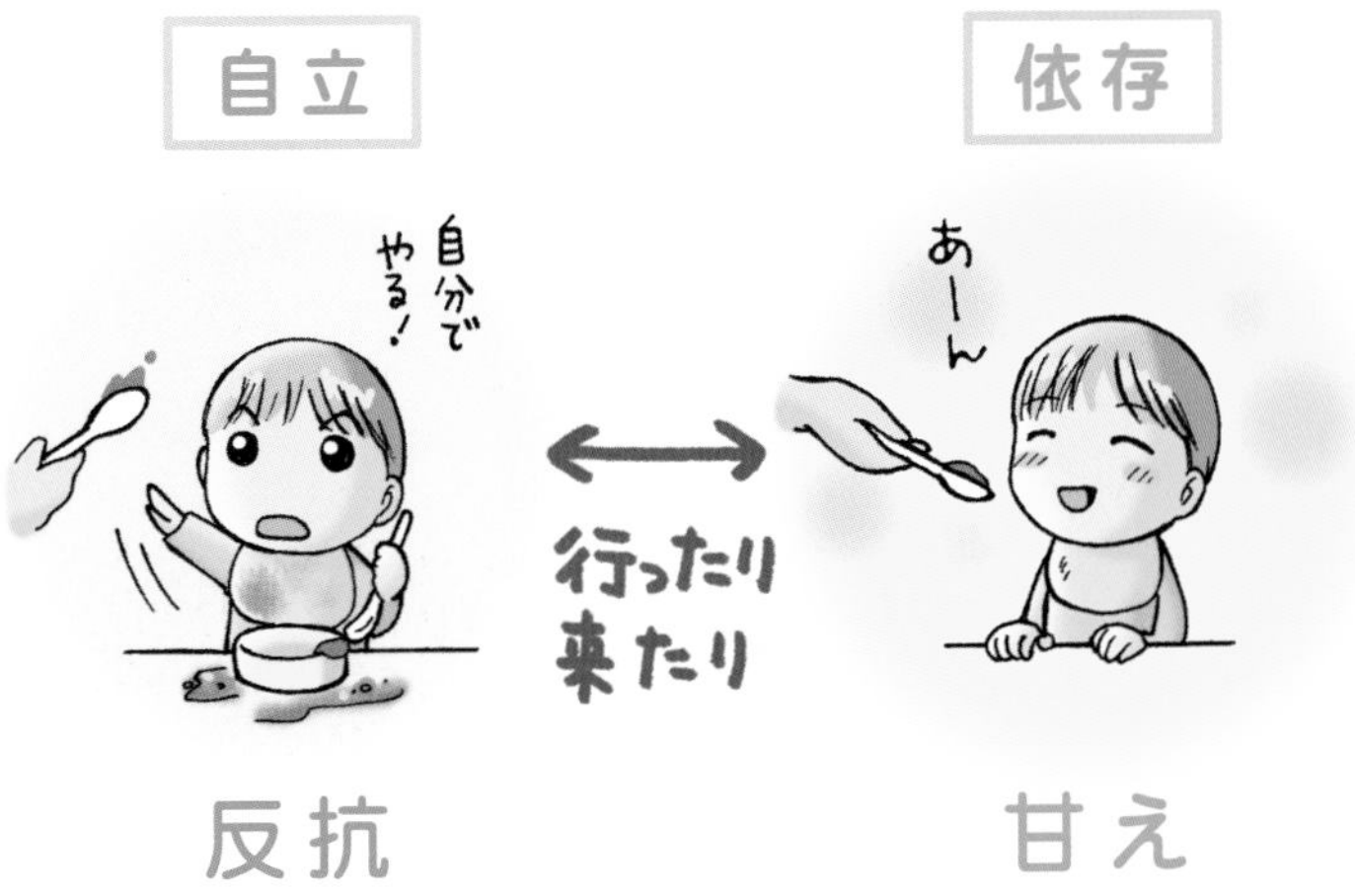

まず、子どもの心は、
赤ちゃんとして生まれたとき、
親に完全に依存した
状態で生まれてきます。

そこで子どもの心がもらうのは
「安心感」です。
じゅうぶん甘えて、
安心感をもらった子どもには、
やがて、もう一つ、別の心が出てきます。
それは不自由です。

そうすると子どもは
自由になりたい、と思います。
これが「意欲」です。

そこで自立の世界に向かいます。

自立した子どもは自由を
満喫（まんきつ）します。

ところがしばらくすると、
もう一つ別の心が出てきます。
それは不安です。

あまり不安が強くなると、
依存の世界に戻ってきます。
そしてまた安心感をもらいます。

じゅうぶん安心感をもらうと、また子どもは
「自分でやる」と言いだします。

自分でやっていると、
また不安になって、
こちらに帰ってきます。

そういうことを繰り返して、
自立に向かっていくのです。

もし、子どもが不安になって、後ろを振り返ったら、
そこには、ちゃんと親がいて、大丈夫だよ、
とうなずいてくれる、
そういう関係を築いていきましょう。

7

甘(あま)えない人が自立するのでなく、
甘(あま)えていいときに、
じゅうぶん甘(あま)えた人が
自立するのです

大事なことは、あくまで甘えと自立の行ったり来たりは、子どものペースでなければならないということです。

●子どものペース

甘え
お母さーん
服着替えるの
手伝ってー
よし
よし
安心感
私はお母さんに
大切にされている!!
えへ!
自己肯定感

実際は、親も忙しいので、なかなかうまくいきません。
ついつい子どものペースでなくて、大人の都合になっています。

●大人の都合

お母さーん
服着替えるの手伝ってー
お母さん今忙しいんだから
がーん
そのくらい自分でできるでしょ！もう1年生なんだから
自分でたたむ！
あんたまだ子どもなんだからできるわけないでしょ！
あっ
時間ないんだからちょっとお母さんに貸しなさい

やむをえない事情もありますが、本来は子どものペースで行ったり来たりできることが大事なのです。

自立の反対は甘えなので、
「甘やかさないことが自立」と思われがちですが、
自立のもとになるのは意欲です。

意欲のもとは、安心感です。

安心感はどこからくるかというと、
じゅうぶんな甘えからです。

そこから出た安心感が土台になって、
意欲が出て、自立に向かうのです。

甘えない人が自立するのでなく、
甘えていいときに、
じゅうぶん甘えた人が自立するのです。

逆じゃないかと思われる人が
あるかもしれませんが、私たちが
自立につまずく子どもをいろいろ見ていると、
どこかで、小さいとき、甘えていいときに
甘えられなかった、ということが多いのです。

小学生のうちはじゅうぶん甘えていい時期です。
甘えていいときに、
しっかり甘えた子がしっかり自立するのです。

8

10歳までは徹底的に甘えさせる。そうすることで、子どもはいい子に育つ

この章はよく読んだほうがいいよ〜
約束だよ〜
ん？

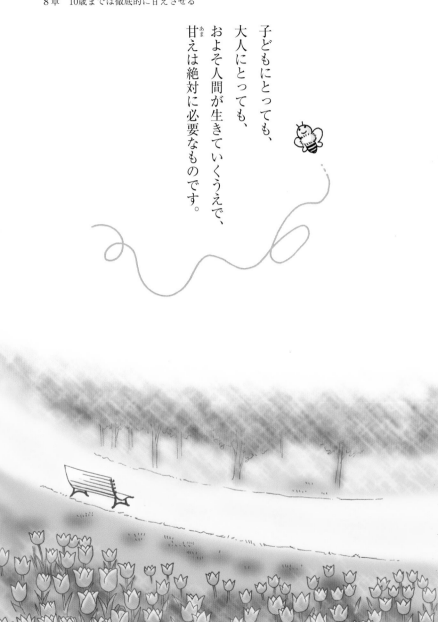

子どもにとっても、
大人にとっても、
およそ人間が生きていくうえで、
甘（あま）えは絶対に必要なものです。

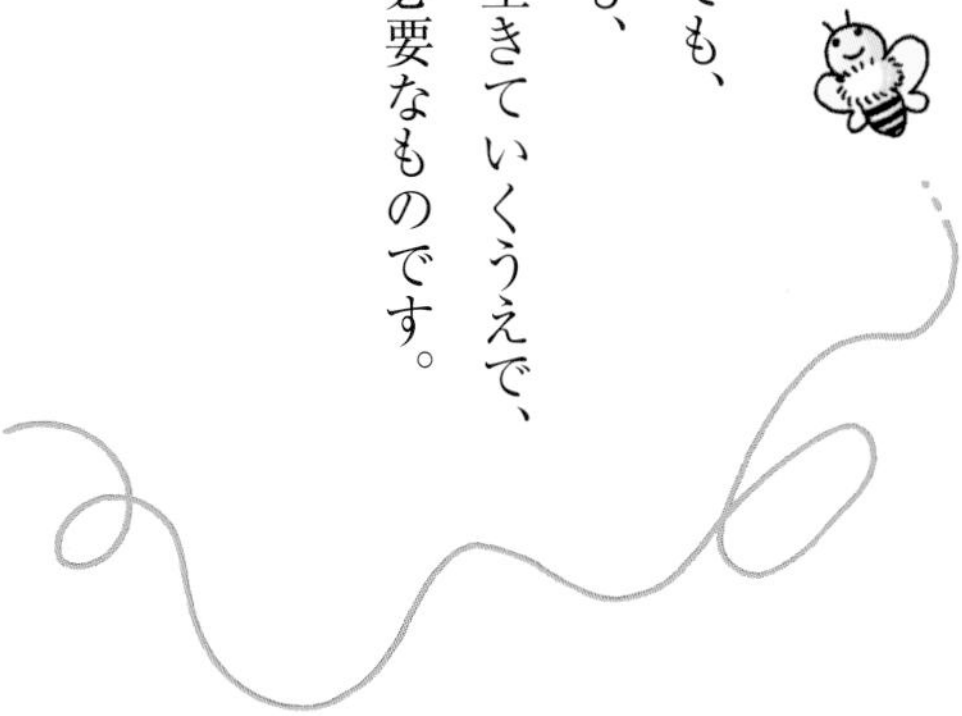

甘(あま)えは、一言でいうと、相手の愛情を求めることです。
甘(あま)えが満たされるとき、
自分は愛されていると感じ、また、
自分は、愛される価値のある存在なんだ、と感じます。

相手に対する信頼(しんらい)と、
自分に対する信頼(しんらい)（自己評価）が育ちます。

それが、安心感につながります。

相手を信じることのできる人は、
思いやりを持ち、深い人間関係を築くことができます。

甘えが満たされるとき

お母さーん
友達に
ぶたれたよー
ま
かわいそうに
なでなで
お母さんが
「痛いの痛いの
とんでけー」
しようね
ぼくは
お母さんに
愛されて
いる!!
自己評価
UP!
ぐん ぐん
相手に
対する信頼
UP!
ぐんぐん

安心感

甘えが満たされないとき、
相手に怒りが生じ、それが、高じると、
自分は、甘えさせてもらえるだけの
価値のない人間なんだと思います。

それが続くと、周囲に対する
不信感や怒りとなり、自己評価が低くなります。

そういう人は、相手を信じることも、
甘えることもできないので、
人間関係が希薄になり、さびしい人になります。
攻撃的になったり被害的になったりしやすくて、
すぐ人と敵対する人もあります。

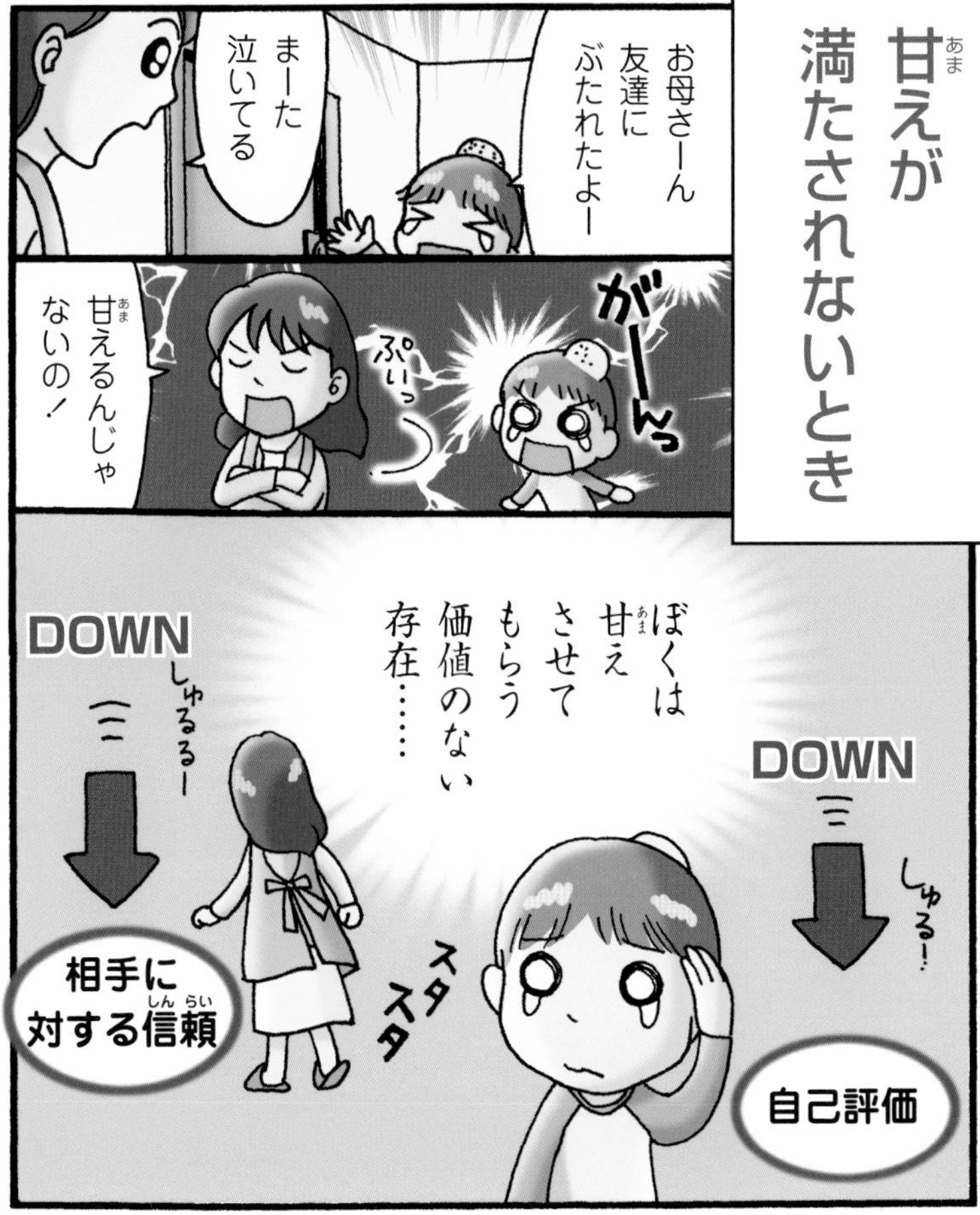
甘えが満たされないとき
お母さーん友達にぶたれたよー
まーた泣いてる
がーんっ
ぷいっ
甘えるんじゃないの！
ぼくは甘えさせてもらう価値のない存在……
DOWN
しゅるるー
DOWN
しゅるるー
相手に対する信頼
スタスタ
自己評価

不信
怒り

9

「甘やかす」と「甘えさせる」は、どう違うのか

「甘（あま）やかす」と「甘（あま）えさせる」を区別することが、
子育てのキーポイントといってもいいくらいです。

「甘（あま）やかす」……してはならない。
過干渉（かかんしょう）、過保護ともいって、
大人の都合で支配すること。

「甘（あま）えさせる」……よいこと。必要なこと。
子どものペースを尊重すること。

次に、具体的な例を見てみましょう。

●甘えさせる

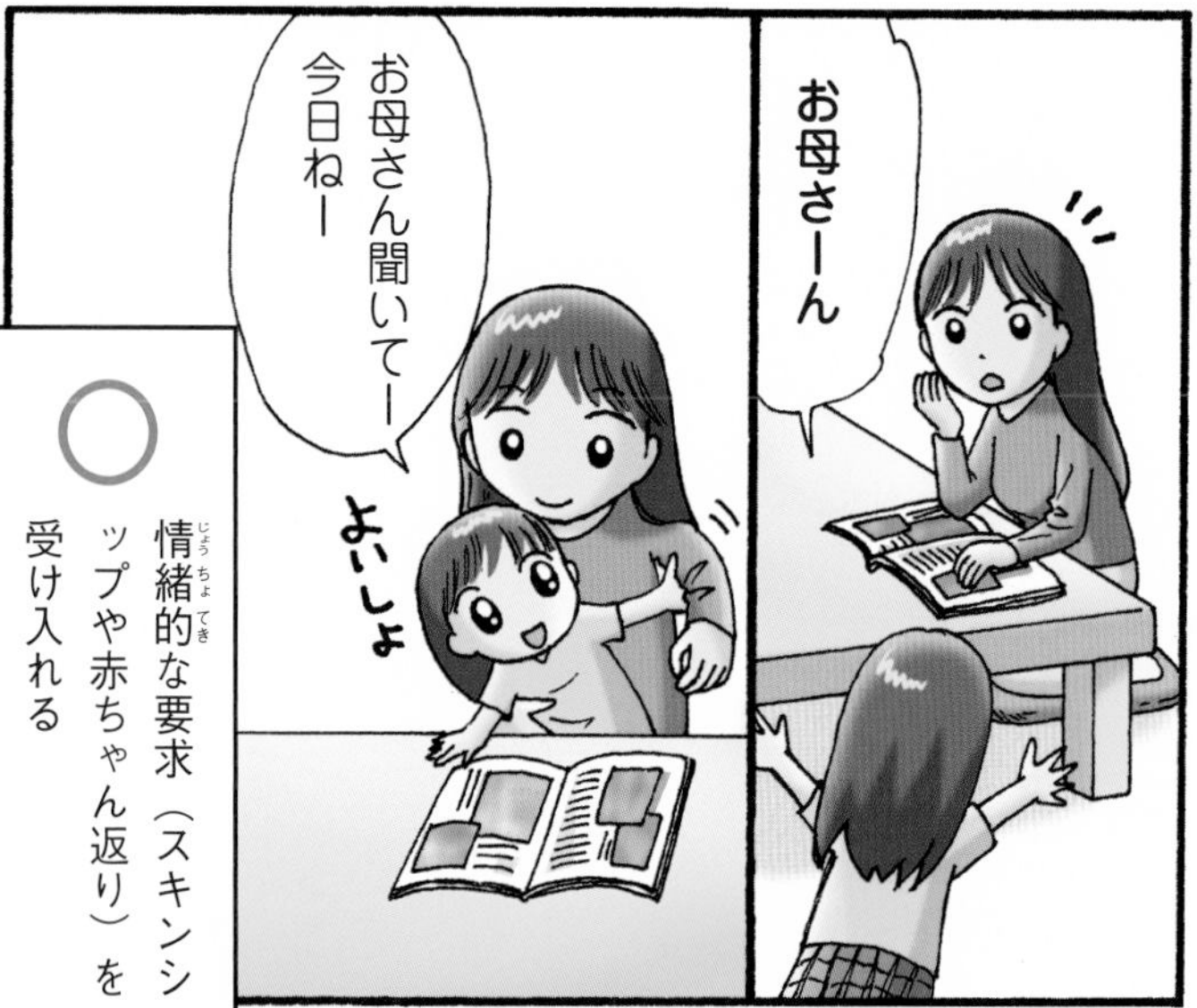
お母さーん
お母さん聞いてー
今日ねー
よいしょ

○
情緒的な要求（スキンシップや赤ちゃん返り）を受け入れる

●甘やかす

お母さん、あれ
全部買ってー
しょうが
ないわね
お会計

×
物質的な要求（金やもの）をそのまま受け入れる

●甘えさせる

むずむず
お母さん靴ひもが結べないよー
どれどれ
○
子どもがどうしても
できないことを
手伝ってやる

●甘やかす

あら、靴ひもがほどけてるじゃない
あなたはしなくていいの。お母さんが全部やるからね
×
できることをさせないで、大人がやってしまう

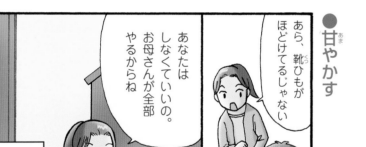

●甘えさせる

お母さん
おなか痛い
あらっ
たいへん
どんなふうに
痛いの？
すぐ病院へ
行きましょうね
ん

〇
どうしても
がまんできないことを
助けてやる

●甘やかす

お母さん
おなかすいたー。
何かちょーだい
じゃあ、
お菓子でも
食べとくー？
がさ
ごそ
ばり
ばり

×
がまんできることを
がまんさせない

ですが、
実際には、区別の難しいことも多いので、
そのつど、これが「甘やかす」なのか、
「甘えさせる」なのか、考えていく必要がありますね。

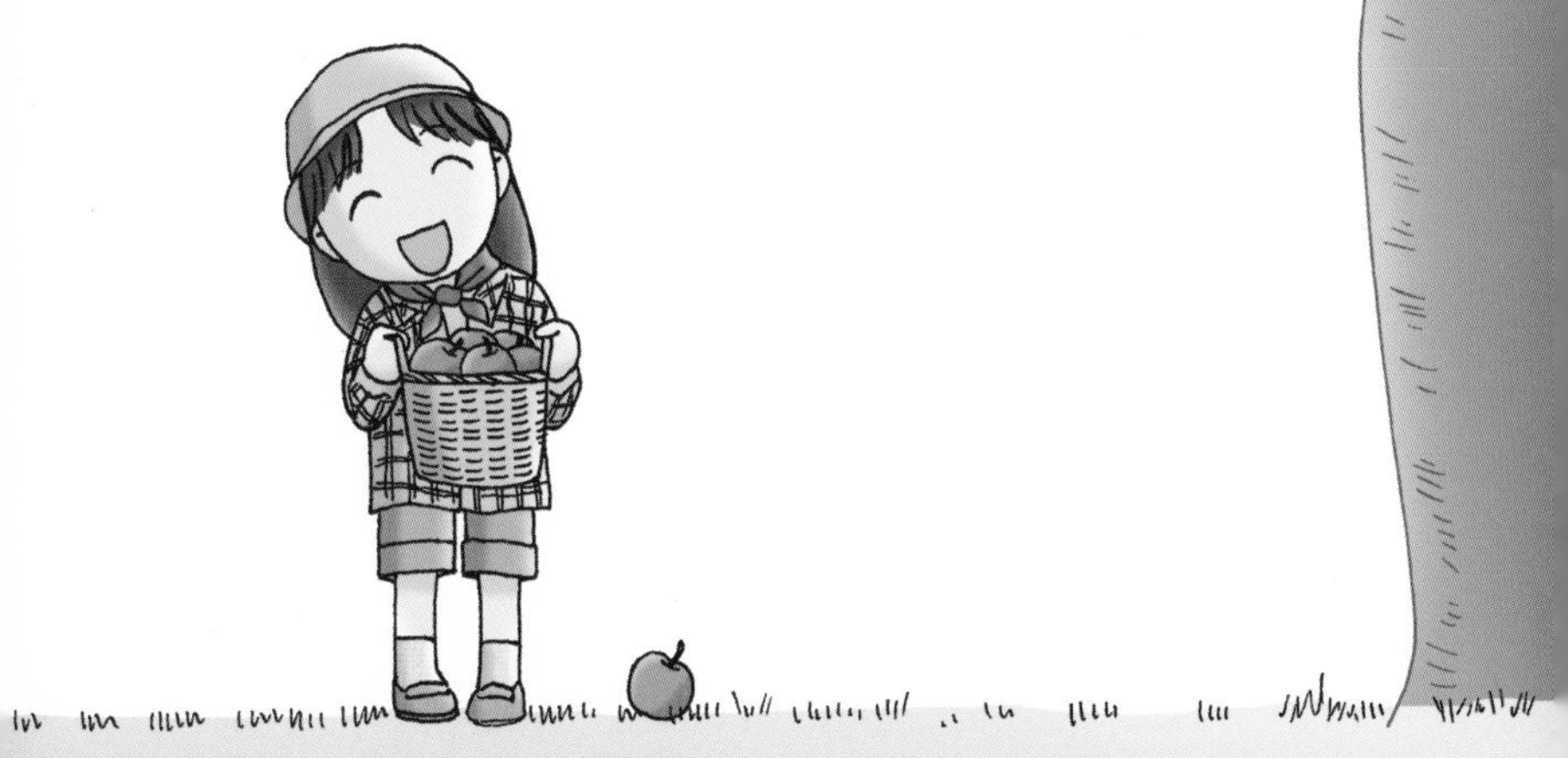

10

10歳以下の子どもが、あまり甘(あま)えてこないときは、接する時間を増やしたり、スキンシップを増やしたりしたほうがいい

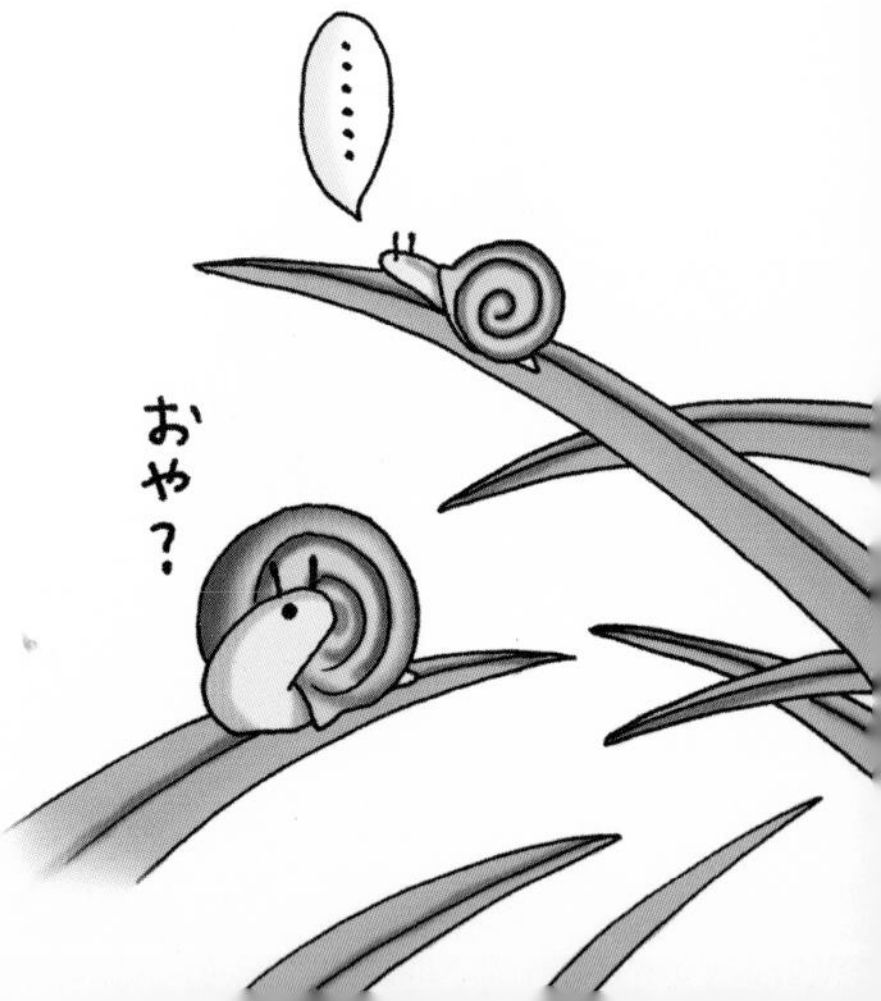

愛情と甘えはパイプ詰まりを打開する力

親子のコミュニケーションがうまくいっていないことは、
「心のパイプ詰まり」と例えることができます。
そして、親子のパイプが詰まりそうになったとき、
その詰まりを押しのけて、流れを通そうとする力があります。
それが、親の側の愛情であり、子どもの側の甘えです。

親の愛情が、パイプを通って、子どもに伝わるとき、
子どもは愛されていると感じ、自己評価が高まります。

また、子どもが、親に甘えていくとき、
親は、子どもをかわいいと思い、なおさら愛情がわいてきます。
愛情と甘えは、互いに、強め合う関係にあるのです。

実際、ちっとも甘えてこない子に、愛情をかけるのは、とても難しいです。

ですから、甘えは、パイプ詰まりを打開するのに、とても大切なものです。

世間では、愛情は大切だが、甘えはよくない、とよくいわれますが、

これはまったく矛盾しています。

愛情を大切にするなら、甘えも大切にすべきなのです。

子どもによって、同じきょうだいでも、甘えるのが上手な子と、甘えるのが下手な子がいます

甘えるのが上手な子は、うまく親に取り入って、親を振り回します。

いや！
あーん
行かないで！
私のことなんて
かわいくないんだ！
そんなわけ
ないじゃないの。
よしよし
えへ

しかし、甘えるのが下手な子は、ついついがまんしたり、遠慮したりしています。また、親の状態を敏感に察知する子は、自分で「甘えちゃいけない」と思ってしまうこともあります。

本当は
お母さんと
お話ししたいけど、
忙しそう……
しょうがないや
ほんとに手の
かからない子
だわ……
お母さん忙しいのに
妹は
あんなにだだこねて……
ぼくだってがまん
してるのに
わっ
抱っこー
抱っこー
ぼくはお兄ちゃん
なんだから
しっかりしなきゃ！
もっと甘えて
くれたらいいのに
でも、ぼくより
妹のほうが好き
なのかも
もう
何を考えているか
わからないわ

親も忙しいので、「この子は手がかからなくていいわ」くらいに思って、その結果、関わりが希薄なままで、大きくなっていきます。

その場合は、親が自分を愛しているのかどうか、確信が持てない、結果として、自分の存在に価値があるのかどうかわからないままで、大人になってしまいます。

10歳以下の子どもが、あまり甘えてこないときは、どこかでがまんしているんじゃないか、と考えて、接する時間を増やしたり、スキンシップを増やしたりしてみましょう。叱りすぎの場合は、しばらく叱るのを控えてみましょう。

11

叱(しか)っていい子と、いけない子がいる

子どもが、本当に、してはいけないことをしたときには、きちんと叱らなければなりません。

しかし、叱るときに、よくよく知っておかねばならないことがあります。

「叱っていいタイプの子」と、「叱るのに注意しなければならない子」があるのです。

叱っていいタイプ

- 情緒安定タイプ
- おおらかタイプ

叱るのに注意が必要なタイプ

- 気が小さい子
- 意地っぱりタイプ

比較的、叱ってもかまわない子

①わりと自分に自信があって、何事に対しても前向きで積極的な、情緒的に安定した子

コラ！
妹をたたいちゃダメでしょ！
ぺしっ
ごめんなさい
もっとお兄ちゃんらしくなろう

情緒的に安定した子は、少々叱っても、前向きに受け止めて、自分のために叱ってくれたんだなと思います。こういう子は叱ると、逆にシャキッとすることもあります。

②のんびりした子。おおらかな、物事にこだわらないタイプの子

のんびりした子は、怒ってもあまりこたえません。怒っても怒っても、右の耳から左の耳で、へらへらしています。そのうちに、怒っているほうがあほらしくなってきて、最後になると、一緒に笑ってしまうという得なタイプです。

叱るのに注意が必要な子

①非常に気が小さい子

コラー
床を汚して！
ほんとにもうっ！
ゴシゴシ
今度は汚さずかこうね
……え？かかないの？
らくがきちょう

ちょっと注意しただけで、すぐ萎縮してしまって二度と同じことができないという、気が小さくて臆病な子。そういう子はあまり叱らないほうがいいです。

②意地っぱりで頑固で、「どーせ」とか言う、いわゆるカワイくない子

言っても言っても全然素直じゃないし、反発してくるタイプです。

こういう子は、本当はとてもナイーブで、けっこう傷ついています。

しかし、それをうまく表現できなくて、意地を張るとか突っ張るという形でしか出せないのです。

だから、本当は、人の2倍・3倍傷ついているのです。

ところが、こちらは、叱っても全然こたえないし、プライドが高すぎるから、そのプライドをたたき壊さないといけないと思って、人の2倍・3倍叱りたくなってきます。

すでにこの子は人の2倍・3倍傷ついているのに、そのうえに、2倍・3倍叱るとなると、4倍・9倍傷つくことになります。

いろんな問題行動とか、心身症とか、後に非行に走ったりする子を見ていると、だいたい、こういう子が多いのです。

こういう子は叱るのではなく、まず、事情を聞くことが大切です。そして「わかったよ」と認めてやる。「だけど、こういうことをしたらいかんだろ」と諭すように言うと、わりと入ります。

●事情を聞く

どうしてたたいたの？何か訳があるんでしょう？
……
だってこいつがぼくのノートに落書きするから……
まあそうだったの
それじゃあ怒るのも無理ないわねえ……
……だろ？
でもたたくのはよくないわ
わ、わかったよ……

実際は、見るからにカワイくないので、ついつい叱りすぎてしまい、悪循環になる場合が多いのです。

●悪循環

12

子どもを叱(しか)るときに、注意すること

叱るときに、大切なポイントは3つあります

①全人格を否定するような言い方をしない

「おまえは、なんてダメなやつなんだ」

「だいたい、根性が腐ってるんだ、おまえは」

おまえは、○○だ、という言葉は、相手の全人格について言う言葉ですから、使わない。

「○○するのは、よくない」という言い方をする。

②何を叱られているのか、わかる叱り方をする

とにかく、親は、どなりちらしているけれど、何を怒っているのかわからない、ということがあります。
○○するのはよくないでしょ、と何がいけないのかを、ちゃんと伝える。

お友達のおもちゃ取っちゃだめでしょ

③今後、叱られないためには、どうしたらいいか、を伝える

叱られると、敏感な子の場合、特に、絶望的な気持ちになり、すてばちになることもある。

「今度からは、欲しい物があるときは、ちゃんと言葉で言ったらいいのよ」

「腹が立ったときは、いきなり手を出さずに、まず言ってくること。

そうしたら、ちゃんと話を聞くから」

など、わかりやすく、対処のしかたをきちんと教える。

13

サンドイッチ法
子どもを
やる気にさせる
注意のしかた

自己評価が低い子どもに注意するときには、「サンドイッチ法」で、話をすると伝わりやすいです。

子どもの悪い点を注意するときに、その前後を、子どもの長所ではさむ言い方です。

たとえば
男の子が隣の女の子をたたいて
泣かせてしまったことを注意する場合

●まず子どもを認める

●次に注意する

●注意したあとに、もう一度認める

君、いつも花の水やりとかいろいろやってくれてるね。ありがとう
ところでさっきはどうして女の子をたたいたりしたの?
ずっと泣いてたよ。そういうことはしちゃダメだよ
君みたいにいつもがんばってる子があんなことをするのは何か事情があったんじゃないの?
よかったらちょっと言ってごらん

こういう言い方をすると、注意はされているのですが、逆にほめられた部分もあるので、そんなに悪い気持ちはしません。わりとスッと注意が入っていきます。

これを逆にするとどうなるでしょうか。

●まず注意する

●次に子どもを認める

●認めたあとに、もう一度注意する

またおまえか！
いつもこんなことやっちゃいかんと言ってるだろうが！何度言ったらわかるんだ
ちょっと言いすぎたかな
確かに君も花の水やりをしてくれることはあるよ。そういうことはいいよ
でもつけあがらせたらいかん
だけどまたこんなことやったらもう全部だいなしだ!!
ゴゴゴ

これでは、子どもは、悪い点を注意されたというよりも、むしろ、自分の存在自体がいけないんだ、というふうに思ってしまいます。

悪いところだけ改めてほしいと言っているつもりでも、自己評価の低い、自信のない子は、こういう注意のされ方をすると、存在自体を否定されたととってしまいます。

14

子どものしつけ方

（1）まず初めに、不登校、引きこもり、キレる子ども、少年非行、少年犯罪など、現代のいろいろな**子どもの問題が、しつけ不足で起きているケースはむしろ少ない。**逆に、しつけすぎ（体罰、厳しすぎるしつけ）から起きるケースが多いのです。

（2）しつけがまったく不必要ということではありません。**基本的な生活習慣、他人のことを思いやる行動を身につけることは大切です。**

（3）いちばん大切なことは、**親自身が、身をもって、あるべき姿を示していくこと。**親が、子どもに、してほしいと思うことを、親自身がふだんから、子どもの前でしていく。そうすると、自然と子どもはまねていきます。

こんにちは
こんにちは

横に歩く
親ガニが
わが子に
真っすぐに歩け
と言っても
無理です
どうして
真っすぐ
歩かないの!!
お父さん・
お母さんを
見習っている
んです

(4)子どもに、「～しなさい」「～してはダメ」と、言葉で指示、命令するしつけを繰り返していると、往々にして、叱ることが多くなりがちです。

そうなると、**子どもの自己評価を下げるだけで、効果は少ない。**親が言っている間はやっていたとしても、親が言わなくなると同時に、やらなくなる。それでは、本当に身についたとは言えません。

（5）親の言葉で、子どもの行動を方向づけするとするなら、その場合は、**親が、「私は」を主語にして、「うれしい」「悲しい」という言葉を使うのがいい**のです。

「あら、洗い物してくれたのね。お母さんうれしいわ。ありがとう」
「あなたが、人の物を黙（だま）って取るなんて、お母さんは悲しい」

子どもは、親に、喜んでほしい、悲しませたくない、という気持ちが、非常に強いです。ただ「これをしなさい」「これはしちゃいけない」と言うより、その気持ちに訴（うった）えかけるほうが、子どもには伝わります。

（6）子どもには、どんどん失敗させる。

先回りして、指示、命令するのでなく、失敗から学ぶことを教える。失敗したときに、それを責めずに、今後、どうしたら同じ失敗をしなくなるか、一緒に考えてみます。

●先回りして失敗させない

忘れ物がないように明日の荷物をチェックしなさいよ
あら、筆箱がないじゃないの
今のうちに入れておきなさい
明日寝坊しないように目覚ましをセットして！
これでよしと！
明日朝早いんだから
パタン
今日はもう寝なさい

●失敗させて学ばせる

ただいまー
今日筆箱忘れちゃってたいへんだった……
どうしたら忘れないですむかなあ
んっとー
今のうちに明日の準備をするよ！
ん

これで明日は大丈夫!!

(7) きちんとしつけなきゃならない、と思って、子育てが負担になり、イライラしていると思ったら、いったん、**しつけなんて、もうヤ〜メた！と、放棄して、肩の荷を下ろして、深呼吸してください。**

そのほうが、よほど子どもの将来のためにいい、ということもあるのです。

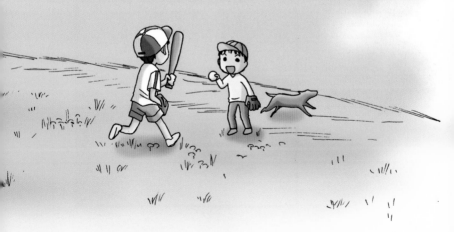

やーめたっと!

15

子どもの相手をしていると、カッとなってキレてしまう。どうしたらキレなくてすむのか

「子どもの相手をしていると、ついついカッとなって、キレてしまう。どうしたらキレなくてすむのか」

一生懸命、子どもに関わっておられるからこそ、出てくる悩みだと思います。

子どもにキレてしまう心理は、いったいどういう心理でしょうか。

だいたい、次のようなものがあるといわれています。

（1）子どもに、非現実的なことを求めている

まず、子どもの現実とは何でしょう。

①子どもは、自己中心的です。
（まだ、相手のことを考える能力が育っていません）

こんなに
散らかして！
いいかげんに
しろー!!
ブチッ

②子どもは、失敗します。

（未来を予測する能力が育っていません）

③子どもは、言うことを聞きません。

（人の意見を冷静に聞く能力が育っていません）

こういう子どもに、思いやりや、失敗しないことや、すべてハイハイ言うことを聞くことを求めると、当然、思うようにならなくて、腹が立ちます。

でも、これが子どもの現実なのです。こうであって、普通の子ども、なのです。まずそれを認めましょう。

しかし、このことは決してマイナスばかりではありません。

この3つは、次のように言い換えられます。

現実を認める
子どもとはこういうものだ
これが普通の子どもなんだ

①相手のことを考える能力の前に、まず自己主張する能力が必要です。それが、健全に育っている証拠です。

②失敗によって、さまざまなことを学ぶ機会を得ています。

③自立心の表れです。

あー
ボクが使うの!!
あーあ
今度から卵を持つときは気をつけようっと

自己中心的なのは自己主張ができる証拠

失敗によって学習します

言うことを聞かないのは自立心の表れ

（2）子どもの言動を、被害的にとってしまう

子どもの行動が、

「親をなめている」とか、

「親をバカにしている」とか、

「わざと困らせようとしている」

と考えてしまうと、ついつい腹が立ちます。


しかし、たいていの子どもは、そういう意図は持っていませんし、バカにしているわけでもありません。

子どもがご飯を食べないのは、まずいからではなく、おなかがいっぱいだからですし、言うことを聞かないのは、

こちらをバカにしているのではなくて、子どもだからです。

子どもの言動に、こちらへの非難や攻撃を読み取ってしまうと、こちらも反撃してしまいます。しかし、子どもは決して、親を攻撃しているつもりはないのです。

（3）親が、過度の責任感を持っている

子どもの言動のすべてを、親の責任だと考えていて、しかも、子どもをしっかりしつけることが、親の役割だ、と過度に考えていると、思うようにならない子どもの言動に、いちいち腹が立ちます。

子どもの言動のすべてが、自分が母親として、いかに無能で、未熟で、失格かを日々証明しているように思うと、焦りか

ら、ついつい叱ってしまいます。しかし、子どもの日々の言動は、たいてい、子どものもともとの性格による部分が大きいのです。そこまで親はコントロールできません。

むしろ、いろんな子があって、世の中バラエティに富んでおもしろくなっているわけですし、そんな個性的なキャラクターを世に送り出した、ということで、ほめてもらってもいいのではないかと思います。

コラム

キレない子に育てるには、どういうことに気をつけたらよいのでしょうか

答えははっきりしています。

「キレない親になること」です。

特に、子どもへの虐待をはじめとして、暴力、体罰を繰り返す子育ては、「キレる子ども」と強く関係しています。

自分に都合の悪いとき、注意されたとき、相手が間違っていると思うとき、親が、キレることを繰り返していると、子どもも、親の行動から、こういうときには、「キレたらいいんだ」と学習するからです。

親と子のほのぼのエピソード❶

読者の皆さんからの投稿のページです

つかまえたカブト虫を入れるカゴを捜そうと、子どもに「机の上のカブト虫（逃げないように）見てて！」と頼むと、「うん」と言いました。ところが、カゴを見つけて戻ってみると、机の上には、もうカブト虫がいませんでした。子どももいません……。

「○○ちゃん？」と呼ぶと、隣の部屋から子どもの返事。

動き回るカブト虫を目で追って見てました。

「見てたもん！　見ることはできるけど、さわるのは、こわいもん」ですって。

（石川県　36歳・女性）

二男が四、五歳くらいの時のことです。ある日突然、私の前に来て、

「ねえねえ、お父さん、お父さんはお母さんのことが好きで好きでたまらなかったから結婚したんでしょう」

と言ってきました。

私は、その真剣な目に一瞬圧倒されそうになりましたが、落ち着いて、

「そうだよ、そうしてボクが生まれたんだよ」

と答えました。

その時の息子は、何かとっても安心したような、そして何ともうれしそうに笑っていました。

とっさのこととはいえ、我ながらうまく正直に答えたなあと、今でも時々思い出します。

（鳥取県　56歳・男性）

夫はテレビのチャンネルを、時々足で変えることがあります。

ある日、息子はテレビの上に両手をつき、片足をあげて少しよろめきながら電源をつけようとして、二回失敗したのち、とうとうつけてしまいました。

ごめん、息子よ。今度そういうことがあったら、お父さんを注意しとくからね。


(長崎県　24歳・女性)


「父は昼はたらき、また、夜はたらき、いつねているのかなぁー。からだをこわさないで、がんばってください」

子どもが小学校の低学年の時に、「父の日」によせた作文だ。

父親としてうれしかったし、子どもは常に親を見ているということに、変なことはできないなぁと実感した。


(兵庫県　65歳・男性)


子どもは正直!!

小学生のころ、子どもが帰ってくる時間に私は「お昼寝」をしていました。

ぐっすり眠っていた……。しかし!!作文に書かれてしまいました。「ぼくのお母さんは、ぼくが帰ってきたら、口を大きく開けてイビキをかいて寝ていました。ぼくが帰った時は、あんな顔で家にいてほしくないです!!」

まいりました(笑)

先生より、赤ペンで、「お母さんにはお母さんの都合があるから、許してあげましょう」と……。

今でも思い出すと恥ずかしいやら、おかしいやら。

先生と顔を合わすたびにドキドキ。

口の中にボンタンアメを入れられたこともありました。

「お母さん、寝てても食べるんだねぇ」


(佐賀県　35歳・女性)

靴屋さんでのこと。

二歳半の息子に、「新しい靴を買いに行こう」と言うと大喜びして、気に入った靴が見つかった。

その靴を抱えながら、「ママ、どーじょ」と言って私を成人女性の靴売場に引っ張っていき、適当に持ってきた片方だけの靴三、四足を、私に、はけとでも言うように「ママ、どーじょ」と言い続けていた。

自分だけ買ってもらうのは悪いと思ったのか、私にも気を遣(つか)ってくれて、とても感動した。

息子が持ってきてくれた、バラバラの三、四足を一応はいて、

「ありがとう、ママは、今は大丈夫」

と言ってチューしました。やさしい子に育ってくれてありがとう。


（栃木県　28歳・女性）


洗濯物をたたんでいた時、息子が、私がたたんだ物を持っていったので、何をするのかなぁ～と思い、見たら、洗濯機の中へ放り投げていました。

怒りたくなったけど、「お手伝いありがとう」と言い、そのうち本当のお手伝いをしてくれるのを楽しみに待っています。


（長崎県　30歳・女性）


長女が幼い時、ケーキをたくさん頂きました。

「どれでも好きなのをお食べ」と言いますと、しばらく考えて、「いちばん、いたみやすいのってどれ？」

いつも私が、いたみやすいものから食べているせいかと冷や汗でした。


（静岡県　50歳・女性）

娘はまだ一歳になったばかりです。泣きやまない娘にイライラして、どうしようもなくなって、娘の前で大泣きしてしまったことがありました。

それまで、これでもかってほどに大泣きしていた娘が、ピタッと泣きやんで、びっくりした顔をして、しばらくするとすごく心配そうな顔で、じっと私を見つめてくれたのです。

その瞬間、私は、こんなに小さい娘に心配をかけてしまって申し訳ないという気持ちでいっぱいになり、すぐに娘に「大丈夫だよ。ごめんね。ありがとう」と言いました。

すると娘はホッとしたのか、また泣き始めました。娘が私に向かって泣けるということは、ちゃんと私を信頼してくれている証（あかし）なんだ、と思えた出来事でした。（青森県　22歳・女性）

息子が三歳の時のことです。仕事に追われて、無理をしすぎて、保育園の運動会の前日の夜、三九度五分の熱を出して、寝込んでしまいました。息子は、小さな手を私のおでこと、ほっぺに当てて、

「かあちゃん、気持ちいいか？」

私が「冷たくて、気持ちいい」と言うと、

「朝までこうしてあげる。かあちゃんが元気になりますように」

と言って、朝まで、私のおでことほっぺに手を当てて、眠っていました。

早朝四時ごろ、目が覚めると、体がすっきりしていて、熱を測ると三六度三分まで、下がっていました。薬も飲んでいないのに、ウソのように治ったのです。

小さな〝天使〟のおかげで、運動会を休まずにすみ、たくさんのお弁当を作って、楽しい一日になりました。（滋賀県　35歳・女性）

親と子のほのぼのエピソード③

読者の皆さんからの投稿のページです

娘が小学校に入学して間もなく、ベランダから毎朝、手を振る私に、小さな娘は大きなランドセルを背負ってうれしそうに手を振り返してくれました。

小学校の中学年になると照れくさそうに笑って手を振り、高学年になると「恥ずかしい」と言って私が手を振ることも嫌がりました。

私が小学生の時、先生から、「親という字には意味がある。木の上に立ってわが子を心配しながら見ているのが親なのよ、一生、親は子どもを見ているの……」と教えてもらったことがあり、同じことを娘にも話しました。

中学生になってからの娘は、「バカじゃあない？　小さい子ではないんだから手を振るのはやめてよ」と言いましたが、私は毎日、手を振り、姿が見えなくなるまで見ていたら、ある日、ふと振り返った娘は小さく手を振り返しました。

今は高校生となり通学の方向も変わりましたが、私は見送って手を振っています。娘は周囲に人がいないか確認しながら手を振ってくれます。いつまでもこの関係を、私は続けていきたい。

（茨城県　35歳・女性）

Cedar Mill Library
12505 NW Cornell Road
http://library.cedarmill.org

Customer ID: **********9089

Items that you checked out

Title: Doronko doronko!
ID: 33614018954593
Due: Sunday, July 28, 2019

Title: Korochan wa doko?
ID: 33614026892165
Due: Sunday, July 28, 2019

Title: Kosodate happi» adobaisu
ID: 33614052166401
Due: Sunday, July 28, 2019

Title: Sekai machikado ryo»ri no tabi
ID: 33614032866096
Due: Sunday, July 28, 2019

Title: Sorosoro honto no koi o shinasaiyo
ID: 33614052166245
Due: Sunday, July 28, 2019

Total items: 5
Account balance: $0.00
7/7/2019 4:01 PM
Checked out: 10
Overdue: 0

Thanks for using the library
To renew online go to wccls.org

Cedar Mill Library
12505 NW Cornell Road
http://library.cedarmill.org

Customer ID: ***********9089

Items that you checked out

Title: Doronko doronkol
ID: 33614018954593
Due: Sunday, July 28, 2019

Title: Korochan wa doko?
ID: 33614026892165
Due: Sunday, July 28, 2019

Title: Kosodate happi» adobaisu
ID: 33614052166401
Due: Sunday, July 28, 2019

Title: Sekai machikado ryo»ri no tabi
ID: 33614032866096
Due: Sunday, July 28, 2019

Title: Sorosoro honto no kor o shinpasaiyo
ID: 33614052166245
Due: Sunday, July 28, 2019

Total items: 5
Account balance: $0.00
7/7/2019 4:01 PM
Checked out: 10
Overdue: 0

Thanks for using the library
To renew online go to wccls.org

ある日、娘を迎えに保育園に行くと、よそのお母さんから、

「子どもが、ともちゃんのお母さんが作ったお弁当が、おいしかったって言ってました」

「家でも作って、と言うんです」

と口々に言われました。

それは、フランスパンで作ったフレンチトースト。

皆に作り方を教えました。

家に帰って子どもに聞いてみると、

「友達が、おいしそうって言うから『はい、どうぞ』ってあげたの。それを見て、ほかの子もほしいって言うから『はい、どうぞ』ってあげたんだ」。

「はい、どうぞ」の言い方がかわいくて、笑ってしまいましたが、ふと心配になって、

「それじゃあ、知子のお弁当がなくなっちゃうでしょう」

と言うと、

「分けてあげたら、私のお弁当箱に、別のおかずを入れてくれたの」

と、うれしそうに言います。

よく聞くと、なんと、わが子は、私の作ったお弁当はほとんど食べずに、別の子のお弁当を食べていたことが分かりました。

それを知ってから、皆で食べられるように、私は多めにフレンチトーストを入れてやることにしたのです。

そしてしばらくの間、保育園で、お弁当交換がはやったそうです。

「お母さーん、今日もお弁当おいしかったよ！」

と元気に笑う娘の顔を、昨日のことのように思い出します。

今は娘が、自分の子どものために、フレンチトーストを作っています。


（東京都　57歳・女性）

16

母親のサポート　1

子どもを守ろうとするなら、まず、それを支えているお母さんを守らなければなりません

子どもが問題を起こすと
子どもの次に責められるのは
親、特に母親です
あっ
隣の
息子さんだわっ

ちゃんとしつけができていないわね
ヒソ
過保護なのよ
甘やかしすぎじゃない
ヒソヒソ
親が悪いのよ
ヒソ
事情もよく知らずに想像で勝手なことを言っています
それが母親をどれだけ不安にしているかも知らずに……
子どもを守ろうとするなら
まず、それを支えているお母さんを守らねばなりません
ところが実際には、子どもを守るため、といいながら、お母さんを攻撃していることが少なくありません。それでは、結局、子どもも倒れてしまいます
ぐきっ

今日、少子化が急激に進み
問題となっています
母
父
1.29人
(平成15年の出生率)
世界の先進国では
少子化の進行している国は日本とドイツです
ドイツ
日本
この二つの国に共通するのは――
子育てについて家族の責任、特に母親の責任が求められる点です
そのため母親の子育て不安が大きくなっているのです
しかし子育ては母親だけでするものではありません。子育てのいちばんのパートナーはお父さんです
ん?
おじいさんおばあさんのサポート
じぃじばあばに
ど――んと
頼りなさい!

先生たちのサポート
行ってらっしゃーい
地域の人たちのサポート
おはよう!
母親同士のサポート
おさがりで悪いけど…
悩み事なら聞くわよ
子育てに奮闘するお母さんを、みんなで守り、サポートしていくことが、今、最も必要なことではないでしょうか

17

母親に休日はない

母親のサポート　2

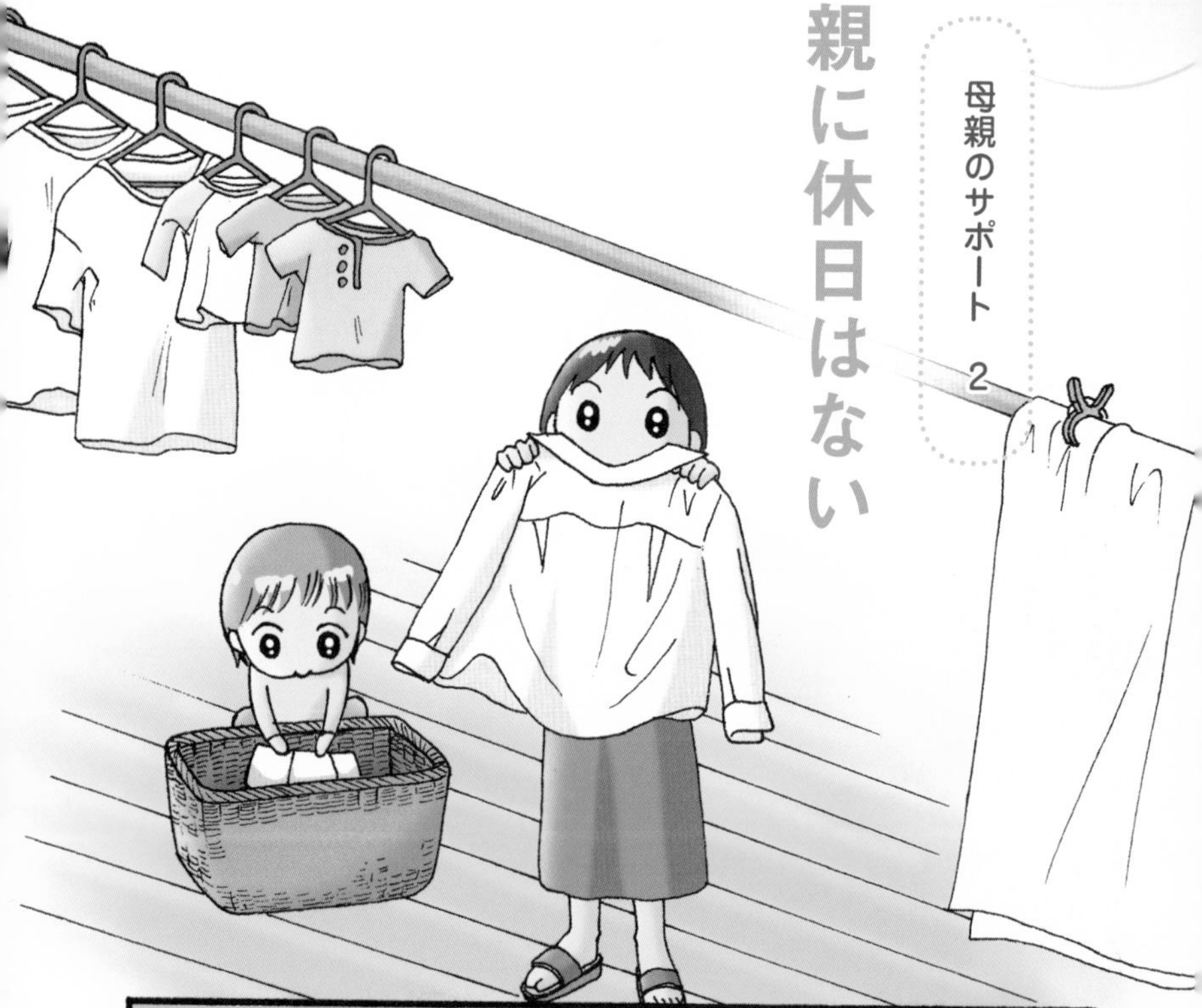

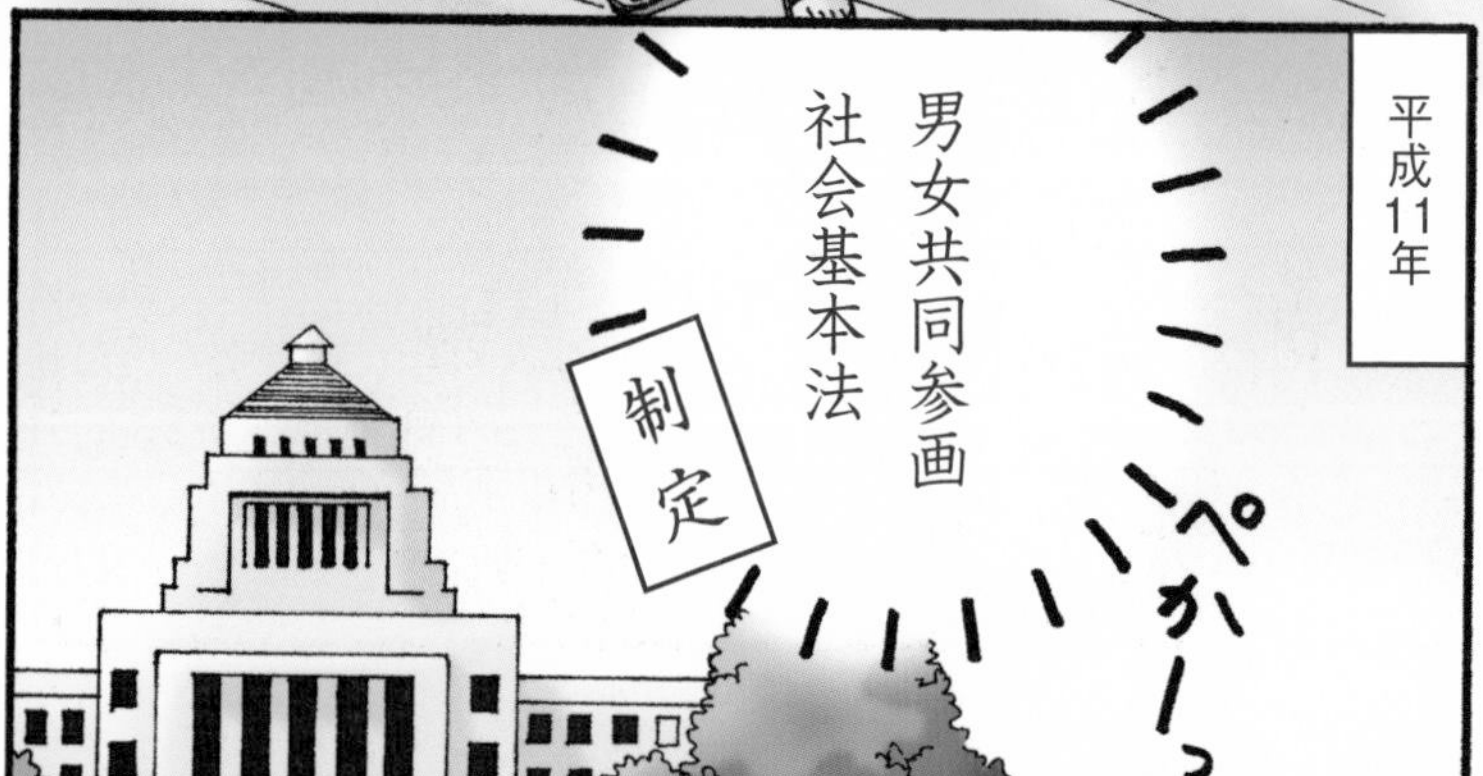
平成11年
男女共同参画社会基本法
制定
ぺかーっ

あなた、私も働きに出たいわ
家のことがおろそかになってはいかん！
男は仕事、女は家庭だ
ちょっとちょっと
ひょいっ
男女平等の社会になったんですよ！
女性編集長です
仕事でちょっとフランスへ！
こうして女性の社会進出が進みました
しかし、家事・育児の分担はいっこうに進まず
ゴー
仕事仕事！
こうなったのです
どーんっ
掃除
洗濯
育児
料理
買い物
仕事
仕事
ついでにこれも洗っといてー
ぽいっ

このことを痛感するのは母親が病気になったときです
うーん
うーん
男性の場合は自宅でゆっくり休むことができます
ただいまー 調子悪くて早引けしてきたよー
よろっ
仕事さえなければあとは何もすることがないからです
ところが女性はそうはいきません
むくっ
はい はい
ねー風邪薬どこにあるの？
洗い物がー
ぱっ
がちゃ。
がちゃ。
今日代わりに保育園行けない？ 私もう体力が……
すぴー
……てもう寝てるのか

南部保育
うう、いつもより重たいなあ……
お大事に！
よろよろ
子どもはこちらの都合はおかまいなし
んごごご
んごごご
あそんでー
ぐえー
私は食欲ないけど……
んごっ
おなかすいた
ぴょんぴょんぴょん
ぐごー
ちょっと待ってー
きゃきゃきゃ
お母さんのがんばりを一度見直してみましょう
ねんねんよ……
おや、治ったのか？
がばっ

18

母親のサポート　3

お母さんが働くことは、子どもにとって、プラス？　マイナス？

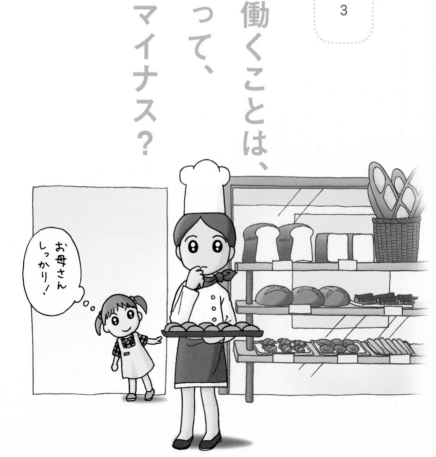

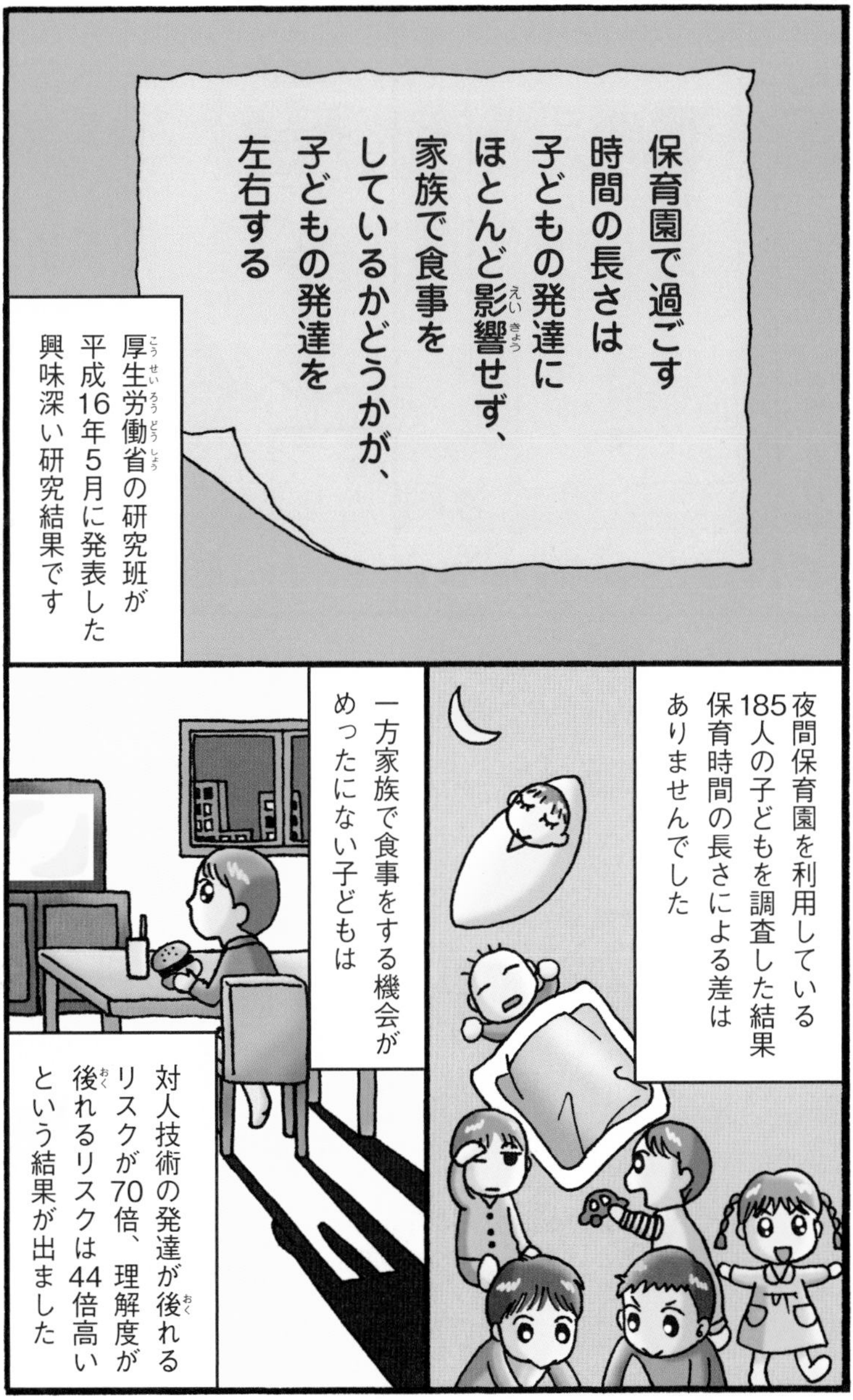
保育園で過ごす時間の長さは子どもの発達にほとんど影響せず、家族で食事をしているかどうかが、子どもの発達を左右する
厚生労働省の研究班が平成16年5月に発表した興味深い研究結果です
夜間保育園を利用している185人の子どもを調査した結果保育時間の長さによる差はありませんでした
一方家族で食事をする機会がめったにない子どもは
対人技術の発達が後れるリスクが70倍、理解度が後れるリスクは44倍高いという結果が出ました

いわゆる三歳児神話というのがあります
子どもが小さいうちは、特に3歳までは、母親が子どものそばにいて育児に専念すべきよ
びしっ
という考え方です
平成10年の厚生白書では
三歳児神話には、少なくとも合理的な根拠がない
ま、まあそうだけど…
と断定し、話題を呼びました
確かに3歳までの子どもの脳の発達は著しく、この時期に愛情に包まれ、安心できる環境の中で育てられることはとても大切なことです
しかしそれは絶対的に母親でなければならないというものではありません

アメリカで1988年に
発表された、
1歳から7歳までの追跡調査の
結果を見ても明らかです
母親が働いているかいないかで
子どもの心身の発達、
社会性や行動上の問題、
学業成績など
いっさい差が見られませんでした

結論はこうです

外野席の声には惑わされず、
自分の気持ちで決めていいのです

自分は、二つのことを同時に
するのは苦手だから、
子どもが小さいうちは、
育児に専念しよう。
経済的には苦しいけれど、
そのほうが、自分もゆったり
育児ができるわ

と思う人は、
育児に専念すればよい

自分は、仕事をやめて、
家に入ると、よけいに
ストレスがたまるに
決まっているから、
子どもを保育園に預けて、
仕事をしよう。
そのほうが、
自分も子どもに優しくなれる

と思う人は、
仕事をすればいいのです

19

母親のサポート　4

共働きで、子どもに接する時間を、じゅうぶんとることができないとき、どうしたらいいのか

このような悩みが出るのは、子どものことを気にかけている証拠ですから、きっといい子育てをされているのだと思います。

●気をつけてほしいこと

おじいさん、おばあさんに子どもを見てもらえる人は、子育てを任せきりにしない。大事なところは、親が押さえておかないと、そのツケは必ず後で返ってきます。

ただいまー
お母さん、今日保育園でねー
ごめん おばあちゃんに聞いてもらって
お母さん、これ読んでー
今忙しいから
おばあちゃんに読んでもらってよ

また、おじいさん、おばあさんも、親が帰ってきたら、なるべく親子の時間がとれるようにサポートしてもらうとありがたいです。

ばた
ばた
お母さん
お願いします
日中はずっと
お母さんに
家事を任せっぱなし
だから
私がいるときくらい
やらなくちゃ悪いわ
そんなこと
私がやるから
あなたは
この子と
一緒にいて
やって
おっ
お母さんっ
ありがたいわ！

仕事から帰って、５分でも10分でも、一緒にいる時間があるなら、その時間を大切にしてください。

「あれしなさい、これしなさい」と、叱ったり命令したりする時間でなく、今日あったことを聞く、そして、おもしろいことは、心から笑い合う、そういう時間になれば、たとえそれが、５分であっても、子どもの心は満たされると思います。

20

母親のサポート　5

今からでもできる、お父さんの子育て

お母さんにとって子育てのいちばんのパートナーは、お父さんです
よし
とん…
ただいま
コラー！待ちなさい!!
ばた
ばた
きゃきゃ
たいへんそうだなぁ……オレも何か手伝うか……
お父さん!!そもそもその言葉遣いから違っているわ！
えっ何？

手伝うとか
協力するとか
育児は
母親の
仕事である
ことが前提に
なっているわ！
本来二人でやる
ものでしょう？
あっ、そうか……
よし、明日から
できるかぎり
がんばって
みるよ！
父親にとって、子育ては、
「手伝ったり」「参加したり」
するものではなくて
父親になったときから、
母親と同じように、
日々の生活に、当然
ついて回るものなのです

そういうわけで部長今日はこれで失礼します
むむっ
企画書はどうなったのかね!!
なに、まだ!?
そんなことでは困るんだよ
ガミ
ガミ
ガミ
みんなたいへんな中がんばってるんだ!!
甘えるな!!
はー、ついにこれも提出できなかった……
育児休暇申請書
父親が育児をするには、会社の上司や同僚の理解が必要です
……
しかし、周囲が「男は仕事、女は家庭」という価値観の持ち主だと、とても難しいのが現実です
すまんねぇ

初級コース

さて、そんなお父さんでも心がけしだいでできる子育てがあります
ただいまー
①母親の話を聞く。育児の悩みに耳を傾ける
あー、今日も上司からチクチク言われてたいへんだったなあ……
ばんっ
ちょっと聞いてよー！
けんちゃんったらシャンプー嫌がるようになっちゃって、もーたいへん！
ーニンジン残すしー
30分も抱っこして
ペラ
ペラ
ペラ
ペラ
そうか
そうか
ペラ
仕事してるより、よっぽどたいへん！
ペラ

静寂
そうか……
すっきり
残業で遅くなりがちだったり単身赴任だったりで時間がとれないなら、メールや、携帯電話などでの会話でも、大きな支えになります
② 母親の労をねぎらう
たいへんだったね
子どもたちがすくすく育ってるのはおまえのおかげだよ。
いつも本当にありがとうね
あら、
そう?
母親の心は楽になり、きっと元気になるでしょう
③ 情報集め
病院は……
保育園は……
遊園地は…
インターネットや本などで情報を集めるのは、男性のほうが得意なのでは?

中級コース

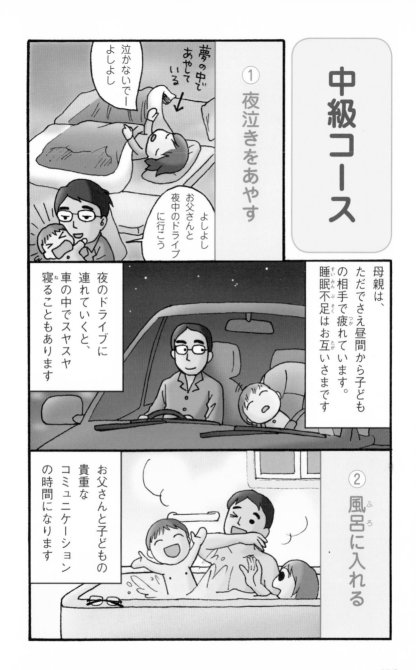

①夜泣きをあやす
夢の中であやしている
泣かないでー よしよし
よしよし お父さんと夜中のドライブに行こう

母親は、ただでさえ昼間から子どもの相手で疲れています。睡眠不足はお互いさまです
夜のドライブに連れていくと、車の中でスヤスヤ寝ることもあります
②風呂に入れる
お父さんと子どもの貴重なコミュニケーションの時間になります

その間お母さんは、洗い物や、残った家事ができます
助かるわ
がちゃ がちゃ
③ 体を使った遊び
育児も体力勝負です
もう疲れたー
子どもは乱暴な遊び、過激な遊びを求めてきます
あはは
あはは
絶対ムリ!
ムリ
やはり体力に勝るお父さんの出番です
④ きょうだいの相手
お母さんが下の子にかかりきりになるとお兄ちゃん、お姉ちゃんはさびしい思いをします
……
!
お父さんが、お兄ちゃん、お姉ちゃんの相手をしてくれると、子どももうれしいし、お母さんもとても助かります
よし、お父さんと遊ぼう!
あはは
わー
ぐる
ぐる

さて いよいよ
上級コース
① 料理を作る
平日は無理でも休日ならできるからね
わー♡
けんちゃんも手伝う〜
お父さん おいしい
そうか!
② 育児、家事の分担
よいしょ
こら こら
けんちゃんもやるー
オムツを替えたり、ミルクを飲ませたり、ご飯を食べさせたり……の育児全般。
布団の上げ下ろしや自分の部屋の掃除、休日の洗濯、取り込み、食器洗い、ゴミ出しなどの家事の分担
はい
うっ……

よし！午後からお父さんと公園に行くぞ！
やったー！
自分の時間が持てるなんて本当にお父さんのおかげだわ
一日終わったー育児ってたいへんだなー
ばたんきゅー
お父さんありがとう。できる範囲(はんい)でいいのよ
妻もうれしそうだし
明日からオレもがんばろう！
家庭円満よかったですね

最後に
絶対父親がやってはならない
5カ条
これらのセリフ一つでも言ったことのあるあなた
要注意よ!
けっして
けっして…
ぴらっ
離婚届
①「大きな子どもがもう一人いる」状態にならない
靴下どこー?
ハンカチにアイロンかけてよ
遅れちゃう!
朝ご飯まだー?
もー
うるさいなー
ろくに捜しもしないで「あれ、どこ?」と言わない。子どもにやきもちをやかない
②妻を責めない
子どもがこうなったのは、おまえの育て方が悪かったせいだ
0点
おまえは子育てが下手だ
なんてダメな母親なんだ!

③ 実母と比較しない
むっ
うちの母親ならもっと上手に味付けするのに……
カッ
ばり
ばり
……お茶は？
うちの母親ならもっと気がきくのに
④ 子どもを疎まない
うるさいなー。早く黙らせろよ
よしよし
うわ〜ん うわ〜ん
もういい！
じゃまだ。あっちへ連れてってくれ
ううう…
⑤ 暴力を振るわない
互いの人格を尊重し合う関係の、最低限のルールです

21

母親のサポート　6

私は私でいいんだ、この子はこの子でいいんだ

相手と自分との間に境界線を引く

周りの人のサポートも大切ですが、実はもう一つ大事なことがあります
え？
どういうこと？
それは、お母さんが自分自身を肯定（こうてい）する、認める、ということです

周囲には
いろんな人が
います
おりこう
さんねー
育て方が
よかったのね
元気で
いいわ
「周囲の理解が得られて
初めて安心できる」
という人は
周囲の理解が
なくなると、
たちまち動揺して
しまいます
どうしよう
どうしよう
これは、まだ
不安な状態です
ちょっと
甘やかしすぎ
じゃない?
もっと
ビシッと
叱らないとねー
おてんば
すぎて困るわ

最終的には、
周囲の人が理解しようとしまいと、
私は私でいいんだ、
この子はこの子でいいんだ
と思えることが、
必要になります

そのために必要なことは何でしょうか
よいしょ
わい わい
わい わい
かき かき
一言でいうと、相手と自分との間に境界線を引く、ということです

あなたは あなた
おっ
まあ それもそうね
私は 私 ってことで

境界線を越えて
相手の領域に入ることを
「侵入」といいます
あーしなさい！
どか
どか
どか
どか
こーしなさい！
ああっ土足で！
私はこれでいいと思うんだけどなあ……
他の人の意見はそれなりに尊重すべきではありますが
他人が自分のことをすべて知って
言っているわけではないし、
正しいとは限りません
そんな……
一方的に……
ああ……あなたのためを思ってやったのに裏切られたわ……
さめざめ

ましてや、その人の言うとおりに従わなければならない理由はありません
よしっ やっぱり私は このままにしよう！
最終的には、自分で判断し、自分で行動を決めればよいのです
あの人は ああ言ったけど
境界線を引いて、それを守る、ということは、自分を大切にすることであり
同時に、相手の人格を尊重することでもあるのです

しかし、
そうはいっても、
なかなか自分に自信が
ありませんし、
ついつい他の人の
意見に振り回されて
しまいます
あーだ
こーだ
わい
わい
わい
あーだ
こーだ
わい
わい
あれ……?
やっぱり
みんなの
言うとおり
かも……
そうならない
ためには、
いろいろな立場の
意見を聞き、
できるだけ正しい
情報を得るように
することです
BOOK
次に
境界線を引く、
とはどういうことか、
お示ししましょう

【境界侵入①】

アイス
100円
あらあら
ふだんから甘やかしてるから、言うこと聞かなくなるのよ
なに、あの人！
でも、やっぱり甘やかしすぎなのかしら……
お母さ～ん
甘えるんじゃないの！

【境界線を引くと①】

アイス
100円
あらあら
ふだんから甘やかしてるから、言うこと聞かなくなるのよ
だだをこねるのは、自己主張の表れで、とても健康的なことだし、小さいときの甘えは、とても大切。あの人の言うことは間違っているわ
お母さ～ん
よしよし

【境界侵入②】

イラ イラ
ドタ バタ
うるさい、静かにしろ！
おまえが、ちゃんとしつけしてないから、おれが、疲れて仕事でミスするんだよ！
グイ
ご、ごめんなさい
あんたたちのおかげで、お母さん、怒られたじゃないの！

【境界線を引くと②】

ドタ
バタ
イラ
イラ
うるさい、静かにしろ！
おまえが、ちゃんとしつけしてないから、おれが、疲れて仕事でミスするんだよ！
きっと、会社で嫌なことがあってイライラしているのね
でも、仕事のミスは、私たちのせいじゃないわ
お父さん、ちょっと機嫌悪いみたいだから、少し静かに遊ぼうね

【境界侵入③】

学校へ行けないのは、全部、おまえの子育てが悪かったせいだ
おれの一生を償え
ゲーム代10万円よこせー！
私の育て方が悪かったからだわ。どうしたら、償えるの……
ローン
よし、いいだろう

【境界線を引くと③】
学校へ行けないのは、全部、おまえの子育てが悪かったせいだ
おれの一生を償え
学校へ行けないのは、私のせいばかりじゃないけれど、それくらいつらいのね……
何かで紛らわせないとやってられないのはわかるけど、今の家計の状態はこうなの
今日のところは、5000円にしておいてちょうだい
わ、わかったよ

【境界侵入④】

息子さんが、非行に
走るのは、先祖の
たたりですよ。
このままだと、
一家破滅になりますよ
なかなか
立ち直らないのは、
もしかしたら
そうかしら
こんなことより、
もっとおれの
気持ちをわかって
ほしいのに……

【境界線を引くと④】

息子さんが、非行に走るのは、先祖のたたりですよ。このままだと、一家破滅になりますよ
息子のことは、いろんないきさつがあったからで、先祖のたたりなんかじゃないわ。今は少しずつ話もするようになってるし今のままで大丈夫よ
母さん、腹減ったよ、メシ
1年後
おれ、今日、暴走族、抜けてきたよ

境界線とは壁のようなものではなく、生け垣のようなものです
風も通るし
会話もできる
今、自分は弱っているから境界線を向こうにして自分を守ろう
おーい
聞きたくない…
今日は余裕があるから境界線を手前にして相手の意見をとり入れよう
こうしなさいよ
ふむ
あ、あの人うるさいんだよな
でーんっ
しっかりした防壁にしなきゃ！

自分と他人の境界線が
まったくないのは、
お互いに苦しいことです
わっ
ねーねー
教えてよー
私とあなたの
仲でしょー
ひょいいっ
ドンドン
出ておいでー
ドンドン
おーい!
あまりにも頑丈な
壁の中に立てこもって
しまうのは、
さびしいことです
適切に、
境界線を設定したり、
変更したりできるように
なることが、
人間関係をうまくやれる
ようになることだ、
と言い換えてもいいのです
あの人かあ
透明シートで
じゅうぶんだわ
あっでも
後ろからは
口うるさい上司が……
鉄壁の準備を!

22

子が宝なら、母親も宝

街を歩いていて、母親が子どもの手を引いて、
家に帰っていく後ろ姿を見ると、
本当に、この親子の未来が、幸せなものであってほしいと願わずにおれません。

日本の子育ては、
決して悪くなってはいません。
子が宝なら、母親もまた宝。
みんなで、この国の宝を、
応援していこうではありませんか。

あなたにも！

怒っちゃダメ。これが普通の子どもなんだわ
ひくっ
明橋先生の本に書いてあったもの
ぐちゃ
ぐちゃー♪
普通よ
ぷる
ぷる
これもふつーよ
ぽいっ♪
ぐしゃ
――てコレ原稿じゃん!
ガーン
きゃははは
うぎゃー!!
♪

〈イラスト〉

太田　知子（おおた　ともこ）

昭和50年、東京都生まれ。
イラスト、マンガを仕事とする。

平成16年に長女が誕生。１歳の子どもを育てながらの執筆に大奮闘。

感謝
ペコリ

手伝いに来てくれた両親に
感謝します。

〈著者略歴〉

明橋　大二（あけはし　だいじ）

昭和34年、大阪府生まれ。
精神科医。
京都大学　医学部卒業。

国立京都病院内科、
名古屋大学医学部附属病院精神科、
愛知県立城山病院をへて、
真生会富山病院心療内科部長。

児童相談所嘱託医、
中学校スクールカウンセラー、
NPO法人子どもの権利支援センターぱれっと理事長。
著書『なぜ生きる』(共著)
『輝ける子』
『思春期に がんばってる子』
『翼ひろげる子』
『この子はこの子でいいんだ。私は私でいいんだ』
『10代からの子育てハッピーアドバイス』
『忙しいパパのための子育てハッピーアドバイス』など

子育てハッピーアドバイス

平成17年(2005) 12月1日　第1刷発行
平成20年(2008) 3月20日　第171刷発行

著　者　明橋　大二
イラスト　太田　知子

発行所　1万年堂出版
〒101-0052　東京都千代田区神田小川町2-4-5F
電話　03-3518-2126
FAX　03-3518-2127
http://www.10000nen.com/

印刷所　凸版印刷株式会社

ISBN4-925253-21-2　C0037

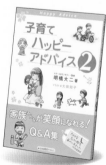

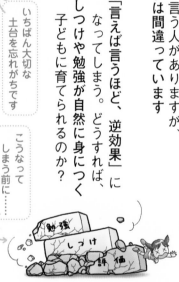

大好評のシリーズ第2弾

♥「やればできるのに」と励ましても、
なぜ効果がないのか？

ほめ言葉ではないからです。
責められていると感じて、
やる気をなくす子が
います

♥「つらかったんだね」「いやだったんだね」と伝えることが大切

「わかってもらえた」という安心感が心の支えになり、
苦しみを乗り越える力になるのです

わーん
お母さーん
今日友達から おまえの絵はヘタだって バカにされたのー
ええっ絵が ヘタだからって バカにされたの？
そうなの
そんなこと言われたら いやだったでしょう
つらかった ね
うん
お母さんは 私をわかって くれた
安心！
よーし もうバカになんか させないぞー
そして やる気！

♥きょうだいの個性に応じた育て方は？

♥子どものやる気を引き出す言い方とは？

「あれしなさい」「これしなさい」では
逆効果になることがあります

♥子どものけんかに親が入ってもいい？

なにー!? やめてよー
ちょっとー！
ぎゅう ぎゅう

♥おじいさん、おばあさんは、
子どもに
どう接したら
いいの？

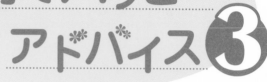

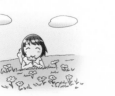

くり返し読みたい大事なポイントを、１冊にまとめました

子育てハッピーエッセンス100%

スクールカウンセラー・医者

明橋大二 著　イラスト＊太田知子

ベストセラー『子育てハッピーアドバイス』１～３巻の中から、くり返し読みたい大切なポイントを100選んだ愛蔵版。読者の皆様のご要望におこたえし、コンパクトサイズで新登場。携帯に便利な新書判なので、いつでも、どこでも、簡単に開くことができます。

お医者さんの言葉だから、安心できるわ

◉定価980円（5%税込）本体933円
新書判ハードカバー
128ページ　978-4-925253-26-0

お宝版

本の中はこんな感じで～す

4
親が肩の力を抜くと、
親が楽になります。
親が楽になると、
子どもも楽になります。
3 6
10
5
親も子どもも、外では、
いろいろと気を遣って、疲れているのです。
せめて家庭だけでも、ほっとしたい、と
みんなが願っているのではないでしょうか。
3 6
おやすみ……
11

もっと詳しく知りたい時のナビゲーション付き。シリーズ３巻の、どこを読めばいいかが記されています。

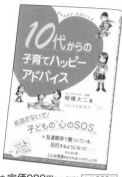

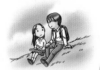

出ました! パパ編

忙しいパパのための子育てハッピーアドバイス

スクールカウンセラー・医者
明橋大二 著

イラスト✻太田知子

◉ 定価980円(5%税込)
本体933円 四六判
192ページ
978-4-925253-29-1

パパの子育ては、こんなに重要!!

お父さんが育児をすると……

❶ お母さんが楽になる。
そうすると、親子のよりよい関係が築かれる。お母さんの、お父さんへの愛情も深くなる。

❷ 子どもはお母さんだけでなく、お父さんからも愛されているんだという気持ちを持つ。
自己評価が高まる。

❸ 父親からほめられると、
子どもは学校や社会へ出ていく
自信をつける。

❹ 父親にきちんと叱って
もらうと、子どもは
ルールを守れる
ようになる。

妻の苦労をねぎらおうとしているのに、なぜ、すれ違ってしまうのか

今度2人で食事でも行こうか。それから映画でも……
だって、子どもどうするのよ
またおばあちゃんに頼めばいいじゃないか
たしかこの前も……
もわもわ
んー
ただいまー!
帰ってきてから……
わっ
仕事が山積みで……
私、疲れてるからいい
なんだよ!せっかく言ってやってるのにっ

夫は、妻を楽にするには、気分転換に、食事や映画でも、と思います。しかし、それは独身時代のこと。育児で疲れ切った妻には、そういうことより、まず、残った家事を肩代わりしてくれること、そのほうがよっぽどありがたい、ということがあるのです。